花园MOOK　粉彩早春号

Vol.02 享受浪漫的早春时节

早春究竟从什么时候开始？英国诗人说：“冬天已经来了，春天还会远吗？”中国古谚则说：“冬至一阳生。”虽然语言不同，但说的却都是从冬至的极寒季节开始，大地中就酝酿着春天的气息，而对于热爱花园和植物的人们，这个感受恐怕更是真切。

早在12月末，早开的茶梅已经迫不及待地绽开花蕾。进入1月，永远除不尽的杂草在冰雪下开始泛出绿意。到了2月，洋水仙花葶亭亭玉立，月季新芽日益红润，圣诞玫瑰如同小小灯笼般悬挂枝头。从3月初开始，先是贝母、水仙、雪滴花，后是郁金香、风信子，各种球根五彩缤纷，最后三色堇、香雪球、报春花等小小草花也争先恐后地怒放，花园终于进入越来越美的季节。

在这个万物萌生的季节里，我们《花园MOOK》也伴随早春的和风为大家带来了粉彩十足的春意。

滋润内心的草花花园中，绚丽多姿的草花随风摇曳，烘托着盎然春景；精心挑选地20种大花铁线莲，让你的春日花园精彩纷呈。花园里的小乔木萌发出嫩绿的新芽，一阵春风拂过，发出沙沙叶声，让人们瞬间关注到它们独特的存在感。春日花园的明星——圣诞玫瑰，高贵的气质和典雅的风范，为你的花园更添风采……这一切美妙的景色，都将在本辑中为你一一呈现。

繁花似锦，鸟语花香，让《花园MOOK》陪伴你一同走入浪漫的早春时节！

《花园MOOK》编辑部

图书在版编目（CIP）数据

花园MOOK·粉彩早春号 /（日）FG武藏编著；药草花园等译. — 武汉：湖北科学技术出版社，2017.2
ISBN 978-7-5352-8090-9

Ⅰ.①花… Ⅱ.①F… ②药… . ①观赏园艺—日本—丛刊 Ⅳ.①S68-55

中国版本图书馆CIP数据核字(2017)第044359号

「Garden And Garden」—vol.44、vol.40

主办：湖北长江出版传媒集团有限公司
出版发行：湖北科学技术出版社有限公司
出版人：何龙
编著：FG武藏
特约主编：药草花园
执行主编：唐洁
翻译组成员：陶旭 白舞青逸 末季泡泡 MissZ 64m 糯米 药草花园
本期责任编辑：唐洁 胡婷

渠道专员：王英
发行热线：027 87679468
广告热线：027 87679448
网址：http://www.hbstp.com.cn
订购网址：http://hbkxjscbs.tmall

封面设计：胡博

2017年3月第2版
2017年3月第2次印刷
印刷：武汉市金港彩印有限公司
定价：48.00元

本书如有印刷、装订问题，请直接与承印厂联系。

欢迎加入 QQ 群
“绿手指园艺俱乐部 235453414”

花园MOOK·粉彩早春号

CONTENTS Vol.02 Early Spring

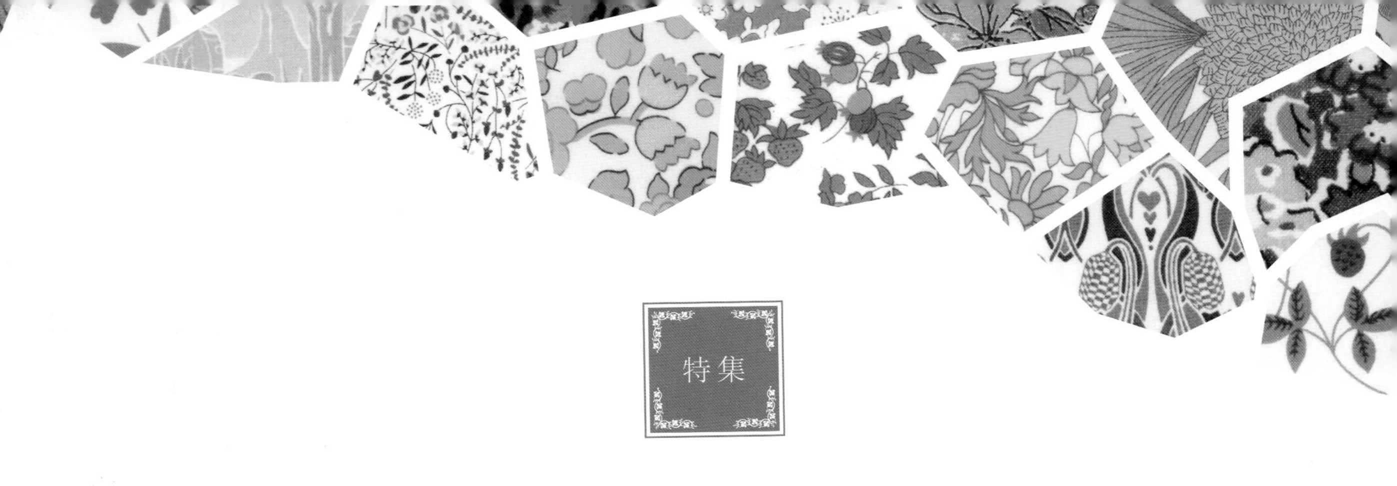

特集

有花的庭院才有精彩

庭院是我的滋润心灵的

期盼已久的春天终于临近。
花苞们在和煦的阳光中胀得鼓鼓满满，
单纯想象花开的光景就足以令人心醉。
花开的季节，让人不禁为植物那强大的生命力而感动。
眺望庭院中精心培育的花草，不仅心情舒畅，
而且会让人充满面对生活的勇气。
本次卷首特集将介绍花草围绕、盈润身心的
花之庭院。

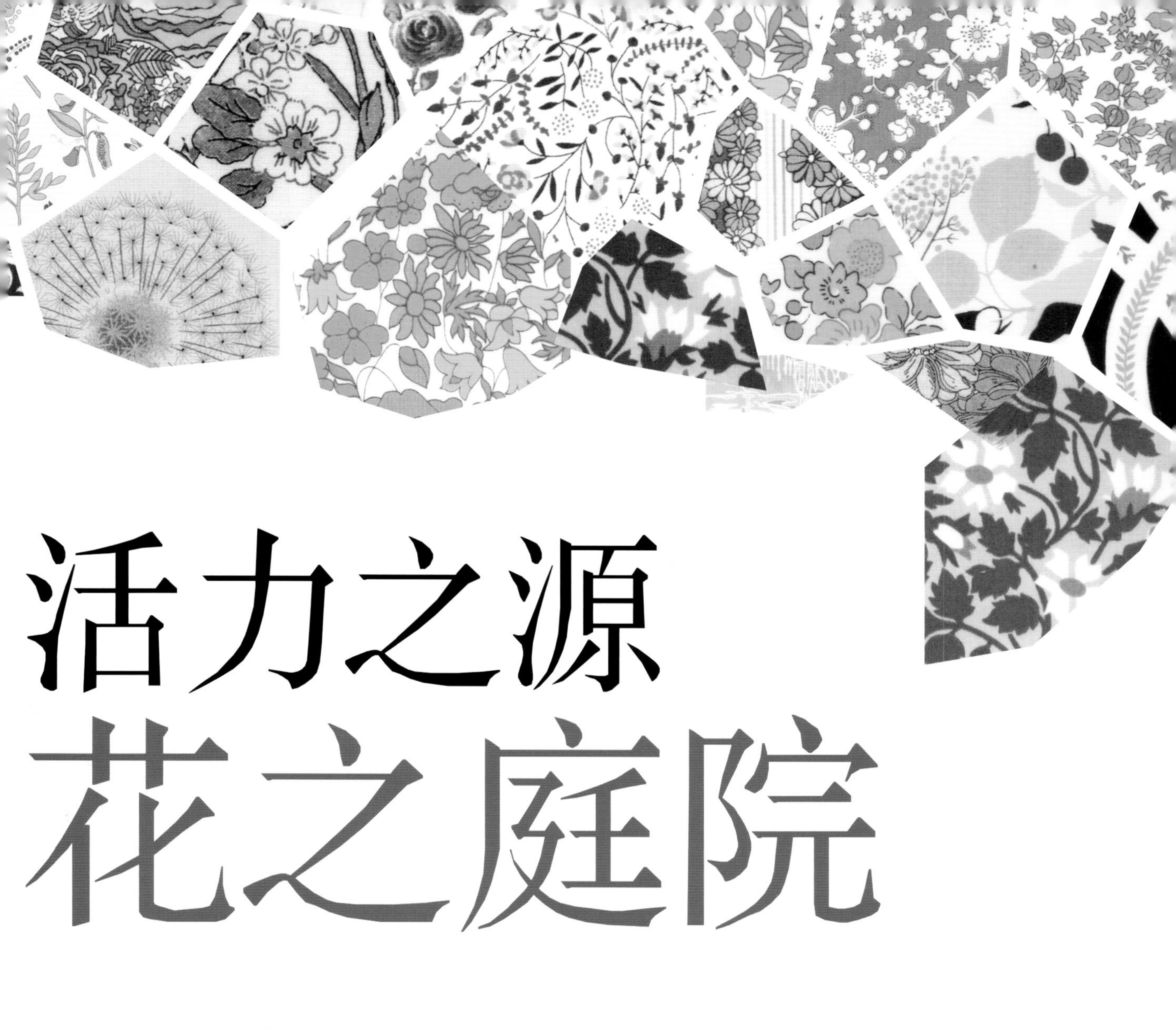

活力之源
花之庭院

Contents

Look at Flowers From Garden Path

一草一木，日新月异，每天都有新鲜感的庭院

两旁开满花草的小路引人入胜

想象下，花园里有一条被花草簇拥的小路——是不是每天都想去看看它们演绎出的无穷变化呢？栽植色彩柔和的花卉会为小路增添许多亲和力，使庭院更具魅力。

白色系、粉色系、黄色系的月季在红砖铺就的小路边竞相展颜，两侧种植着大花葱（*Allium*）、蕾丝花（*Orlaya*）、毛地黄（*Digitalis*），随风摇曳，一派野趣风景。

野趣花园
抢眼的藤本月季领衔的

被农田环绕的小镇中有一座美丽的野趣花园，这里各色的花朵散落在层叠的绿林里，让每一位来访的客人都沉醉在花海之中。

因为父亲是一位月季迷，女主人从小受到熏陶，习惯了在月季花丛里的生活，所以，大约25年前全家移居此处，也开始自己造园和栽种月季。从古典玫瑰到现代月季都一一精心培育，其中最繁盛的还属藤本月季。

栽满月季花后，觉得花园里似乎还缺少一些什么，刚好当时电视上播放了一部叫做《风之花园》的连续剧，看到屏幕上繁花盛开、随风轻摇的草原风景，主人灵机一动，决定把自家花园也打造成这种富有野趣的草地花园。

为了营造出花枝摇曳的天然氛围，她混植了多种一年生植物和宿根植物，并把最心爱的浅色系花卉搭配在一起。虽然前后栽种了三十多种花草，却十分和谐，丝毫不显凌乱。

藤本月季在半空舒展花枝，而脚下是草原般的丰富绚烂。整个花园野趣盎然，仿佛一片优雅又充满动感的天然妙境。

Look at Flowers From Garden Path

风中摇曳的草花与月季重叠交错 组成丰富多彩的草地花园

栽植成片白色花朵 打造梦幻般的白色花园

个头较高的蕾丝花和滨菊（*Leucanthemum vulgare*）是野趣花园里必不可少的自然元素，白色花朵松松散散地挨在一起，烘托出原野般的宁静氛围。

选择花枝纤细的品种 营造出风中摇曳的窈窕风姿

下方的花草应选择姿态柔美的品种，多数都是主人自播繁殖的一年生花卉。主要采用了浅淡系的花色，来营造出柔和的氛围。其中主人的最爱是粉色麦仙翁（*Agrostemma githago*）。

在主花园中大量栽种了各种不同的植物，以白色为背景，零星搭配着矢车菊“黑球”（*Centaurea cyanus* ‘black hall’）和大红色的东方虞美人（*Oriental poppy*），庭院呈现出多变的节奏。

在开粉色小花的藤本月季“科尼利亚”(Cornelia）脚下，生长着旺盛的德国洋甘菊（*Matricaria chamomilla*）和琉璃苣（*Borago officinalis*）。

绝不马虎的栽种组合
充分考虑颜色、形态、株高

从 3 年前开始改造成草地花园后，这座花园的风貌便日趋自然。面积虽然比较紧凑，但主人把它分成了 4 个区域，分别是以白花为主的主花园、装点小路的侧花园、与路人共享的前庭外花园和绿意葱茏的树荫花园。每个区域分别遵循各自的主题，再有机地结合成一个完整而协调的魅力空间。

贯穿这些区域的小路同样有着出色的个性。徜徉其间，以藤本月季为背景，各种花卉移步换景，令人心旷神怡。

在花繁草茂的自然景致中，可以体会到主人用心，搭配的功力也可见一斑。一些自播的花卉芽参差不齐，需要重新人工补种来调整整体的比在花坛和小路的边界处则播撒三叶草，以营造绿的整体感……

“在观察花园的时候，我会把自己想要改进地方记在本子上”，辛勤的主人就是这样通过不地调整，才打造出这个清新雅致的野趣花园。

被花朵包围的舒适惬意
正是秘境花园的乐趣所在

穿过侧花园，在树影婆娑的小路旁摆放着桌椅，这里被郁郁葱葱的树木包围着，是一片清新舒适的空间。

Look at Flowers
From Garden Path

玫瑰花铁艺支架为
花园增添了动感

铁艺装饰为楚楚动人的草花添色，衬托出洒脱随意的氛围。

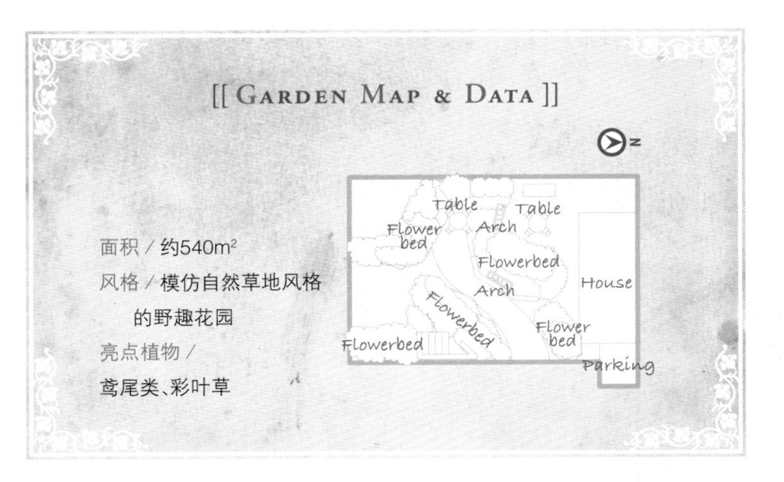

[[Garden Map & Data]]
面积／约540m²
风格／模仿自然草地风格的野趣花园
亮点植物／鸢尾类、彩叶草
Table
Table
Flower bed
Arch
Flowerbed
House
Arch
Flowerbed
Flower bed
Flowerbed
Parking

弯弯曲曲的小路自然分割出两块侧花园。花儿竞相开放，葳蕤恣肆，仿佛在跳跃。

栽培技巧大检验check!

主要植物
Main Plants
月季“舞米罗”（Umilo）
英国玫瑰“雪鹅”（Snow Goose）
吉利花（*Gilia reptantha*）
毛地黄
矢车菊“黑球”

用白色和紫色等清淡花色衬托粉色的月季

使用白色和紫色系草花可以清晰勾画出月季“舞米罗”的粉色花朵。

Technique 1

Technique 2

充盈的柔和色彩演绎出华丽的外花园

利用高低差增加立体效果，打造出颇具感染力的梦幻色彩。浅色系的植物让人感到亲切而温馨。

主要植物
Main Plants
滨菊
藤本月季“科尼利亚”
琉璃苣
德国洋甘菊

Technique 3

在藤本月季下种植比较高的花卉制造舒缓的过渡曲线

把各种颜色的花栽种在一起，通过花朵大小和植株形态的调配组合，使之与藤本月季之间有参差美。

主要植物
Main Plants
德国洋甘菊
矢车菊
毛地黄
蕾丝花

浅绿色的八仙花
让人感觉清新润泽

在门廊旁，以雪山八仙花装点枝叶覆盖的树下空间，观感整体，安宁自然。植物与房屋的外墙和入门处非常协调，场景清爽宜人。

树皮铺就的小路
两旁开满红白蓝三色花朵

月季“冰山”、马其顿川续断（*Knautia Macedonica*）、荆芥（*Nepeta cataria*）有规律地混植，让弯曲前行的小路充满了自然风情。

Look at Flowers From Garden Path

以白色为主色调的花卉营造出清新典雅的氛围

别致的家具和多变的四季花卉组成的亭椅花园

主人在建造新居的时候，委托专业的园艺公司设计并施工。新花园完成后，到现在已经迎来了第三个春天。

在对路人开放的庭院小路边栽培自己喜欢的浅色小花，与自然环境的搭配效果非常好，把小路装点得清新秀美，还可以近距离亲近最爱的植物。

将白色砾石、树皮、铺路石混合在一起，调和出极富个性的丰富色调。小路深处的木艺座椅等器具是小路的亮点，美景让人过目难忘。

主人说：“从木艺亭椅这边看花园，景色更迷人。”精致的木艺亭椅被郁郁葱葱的树木和各种绿叶的影子掩映，仿佛野山中宁静的一隅。小坐片刻，恍惚步入童话世界……

花园完成后，植物慢慢生长，呈现出日益自然的效果。随着岁月的推移，让人对这儿的将来更加充满期待。

不同质感的绿叶包围着白色的木艺亭椅，仿佛是画中情景。圆锥绣球花（*Hydrangea paniculata*）开放的时候，楚楚白花更加令人心醉。

木椅和丰富的植物
自然地融为一体

绚丽多姿的花草簇拥着灰蓝色的木制靠背椅，搭配欧式小鸟浴盆，构成一个安静祥和的角落。

选择花小
有特点的品种

婉约动人的紫斑风铃草(*Campanula punctata*)、开着可爱小花的老鹳草，利用富有个性的花卉打造出耐人寻味的庭院风情。

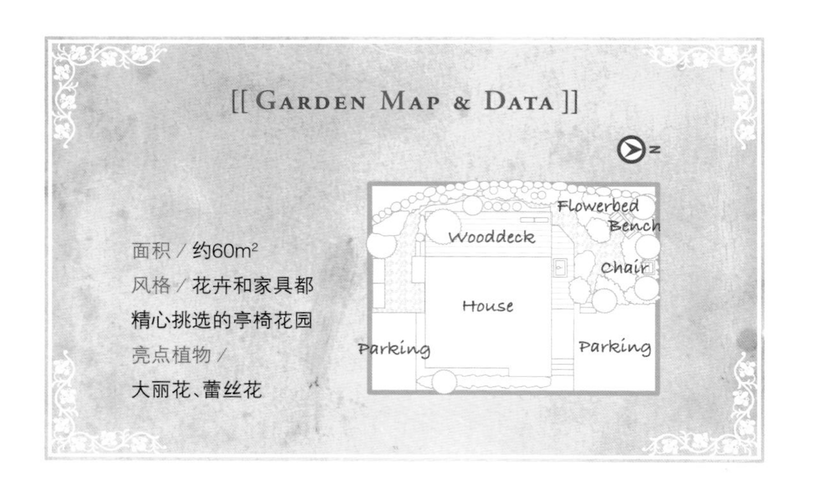

[[GARDEN MAP & DATA]]

面积 / 约60m²

风格 / 花卉和家具都精心挑选的亭椅花园

亮点植物 / 大丽花、蕾丝花

Look at Flowers From Garden Path

日本红枫（*Acer pycnanthum*）和光腊树（*Fraxinus griffithii*）等树木与比较低的灌木搭配，营造出多彩的叶色。此外还栽植了果实美丽的加拿大唐棣（*Amelanchier canadensis*）和冬青（*Ilex pedunculosa Miq*）。

栽培技巧大检验check!

Technique 1

用植物自然遮掩门廊基部

将月季"冰山"的枝条横向牵引在门廊的栏杆上，起到连接花园和门廊的作用，使两个区域有机地融合在一起。

主要植物
Main Plants

月季"冰山"
迷你月季、马其顿川续断
荆芥、百里香

Technique 2

质朴的石头和可爱的小花组合成充满野趣的角落

将坚硬的岩石、砾石和纤弱的小花搭配在一起，粗放与柔美和谐一体，令人印象深刻。

主要植物
Main Plants

矾根（*Heuchera micrantha*）
马其顿川续断
粉花绣线菊（*Spiraea japonica*）
紫斑风铃草

Technique 3

使用草花衬托小鸟浴盆的优美线条

忍冬纤细的黄色叶片为小鸟浴盆增添了高雅的感觉，紫斑风铃草则调配出柔和的氛围。

主要植物
Main Plants

忍冬（*Lonicera*）
紫斑风铃草
（*Campanula puctata*）
蓝盆草（*Scabiosa japonica*）

Part2

Beautiful garden with the arch

营造花之庭院的必备元素

引人入胜的关键是连接花坛的拱门

开满鲜花的庭院虽然典雅华丽，
但有时候会感觉缺乏张弛感。
圆弧形的拱门连接着花坛，赋予场景变化，
为花园增添了深邃和通透的感觉。

入口大门上方开满花色柔和的月季“泡芙美人”(Buff Beauty)，
静静地欢迎来访的客人。

为庭院带来开阔感和统一感

在放射状的园路上设置拱门
可以达到将视线收敛后再放射开来的效果

在迂回的花径上设置拱门吸引视线。右边的小路用于花园的栽培管理。

如同高原的花田一般，这座花园感觉非常开阔，清新宁静的空间让人忘记自己身处都市之中。

14 年前搬到这里的时候，周围还是一派农田景象，主人夫妇二人一点一滴地开始辛勤造园，终于把庭院改造成了现在的模样。花园的设计和种植由女主人亲力亲为，而铺设枕木等重体力活则是先生的功劳。

夫妇俩喜欢登山和散步，所以一直梦想着把花园打造成仿佛漫步山间的宁静空间。于是先在花园周围栽种了大量的树木，再用枕木和砖瓦铺出弯曲的园中小路，渐渐营造出行走在大自然中的氛围。

主庭院入口处分别有向 3 个方向延伸的小路，左手和中间的小路向前穿过拱门，走向花园深处。右手比较窄的一条小路则是专为照顾花草而设的，可以一直走到茂密的植物之中。这几条小路恰到好处地打通了层叠的绿色植物，贯穿出一个通透的空间。

小路的深处设有自己 DIY 的拱门，上面攀爬着茂盛的月季和忍冬，气势几乎堪比一株大树。拱门涂成暗绿色，缠绕满植物后，显现出恰如其分的厚重感。枝叶遮掩住园路的尽头，让人觉得曲折幽深。

整个花园利用小路和拱门打造出庭院的骨架结构，然后装饰以丰富的植物，设计构思精巧，有着出色的协调感。

主屋旁的砖石小路，两边是茂密的油橄榄树（*olive*）和彩叶杞柳（*Salix integra*）的枝叶，交织出拱门效果。

编织宁静时光的山野花园

花坛中选用了毛地黄、蕾丝花、荆芥等柔软纤细的花卉品种，随风起舞，摇曳多姿。大量的白色花卉，将其他花卉衬托得分外缤纷而鲜明。

整座花园以各种树木深浅不一的绿色为背景，整体氛围清新宁静。树木间栽种了主人从各地收集和朋友们赠送的山野草，女主人说："每当看到山野草开花，就想起了四处收集满载而归的情景。"

庭院深处种了红醋栗（*Ribes rubrum*）和无花果（*Ficus carica*），与开满花的主庭院呈现出不一样的风格，仿佛身处大山深处。

树上挂着鸟屋和花生花环，引来很多小鸟。小路尽头藤架下摆放的桌椅，是一个小憩片刻、享受鸟语花香的惬意空间。

花园里选择栽植适合周围环境的草花，每年都不断增添新亮点，持续新变化，令人产生与自然共生的感觉。引用女主人的话来说就是："是庭院自身为我们打造了庭院"。

仿佛融入植栽一般 随意自然的姿态

1. 男主人亲手铺设的园路旁放置上小鸟和路灯，增加了趣味性。
2. 带有装饰水泵的木盆里种上红色天竺葵，成为角落的一景。

面积 / 约100m²
风格 / 山野自然风格
亮点植物 / 二歧银莲花(*Anemone dichotoma*)、鼠尾草"莱姆之光"(*Salvia* 'Limelight')

Beautiful garden with the arch

即将满溢出来的感觉 演绎出花坛的繁盛

把荆芥和蕾丝花等蓬松的花株栽种在小路旁，营造出仿佛马上要溢出的观感，显得花坛格外丰满。

解读

让拱门更出彩的 Good idea 好创意

1

Idea

生长旺盛的藤本月季
攀爬在拱门上
渲染出富有动感的一幕

长势旺盛的藤本月季“夏雪”
为风景带来了充沛活力。
与周围的花卉同为白色调，
构筑成一个典雅的白色花园。

塔形花架涂成暗绿色，顶端的杯形装饰成为白色花朵之中的亮点。

2

Idea

飘然下垂的月季枝条 衬托出了花径的深远感

入口处缠绕的藤本月季“龙沙宝石”（*Pierre de Ronsard*）令人印象深刻，多花且花大，令场景奢华、热闹。

Idea

利用白色与红色的对比 打造出让人惊喜的小景

被拱门圈出的景色仿佛一幅精美的画作。红色的天竺葵演绎出远近视觉差，挑动起走进深处一探的好奇心。

3

4

Idea

茂盛满溢的绿色拱门 与花坛的花草融为一体

拱门上绿意盎然的忍冬，枝条下垂如瀑，与旁边花坛里的花草连为一体，烘托出自然的风情。

用藤本植物的枝条
柔和地包围
建筑物

花房外面种植的月季“芽衣”、“遗产”和铁线莲“蓝天使”（*Clematis*‘Blue Angel’），通过巧妙的牵引营造出立体感，景致异常绚丽。

月季“芽衣”的花瓣呈波浪形，好像荷叶边一样惹人喜爱，其鲜艳的色调是庭院的亮点。

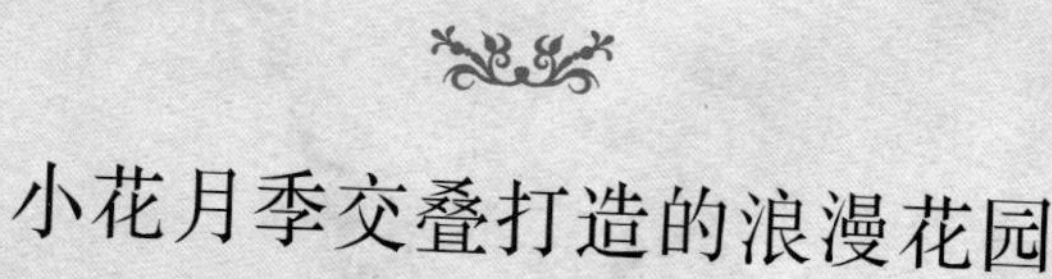

小花月季交叠打造的浪漫花园

Beautiful garden with the arch

打造立体的欣赏空间 将月季牵引到住宅上

艳丽的月季“芽衣”包围着花房，从围栏引向拱门的藤本微月“梦乙女”则花枝招展，正在迎接来访的客人。这座月季园栽种了约 15 个品种的月季，芳香四溢，华美浪漫。

主人夫妇从 9 年前开始打造自家的庭院，首先考虑的问题就是：“如何在有限的空间里栽种尽可能多的月季。”为了最大限度发挥月季的魅力，前庭花园必须展现出立体效果。最终，他们反复商讨，决定设置一座拱门来解决这些问题。

按照光照条件和植物习性选择好拱门位置和月季种类后，他们尝试性地设置了最初的拱门。然后以此为起点，在院子里加盖了花房，又增加了一座拱门和一处藤萝架。此后便一发不可收拾，花园硬件不断增加，花园的设计也更加立体、充实。

花园中的两处拱门各有特色，一处攀爬小花月季“梦乙女”，另一处则攀爬大花月季“龙沙宝石”、“娜荷马”。两座拱门上月季花大小各异，相互映衬，多姿多彩。

墙面和拱门都牵引上月季后，整座庭院仿佛被月季花海包围，这个效果使主人们心满意足，而且也让整个建筑的风格协调一致。

摆满组合盆栽的门廊，装饰了绿色鸟笼和铁艺喷壶。别具一格的花园饰品，为庭院增添了几分雅趣。

深处的拱门爬满了小花月季“芽衣”，前方的拱门则爬满了“娜荷马”等大花月季，双重拱门演绎出富有层次感的视觉效果。

在墙面上牵引
白色月季
让月季爬满每一处空间

在花房背面的窗户和墙面上牵引藤本月季“夏雪”。使不起眼的墙面上花团锦簇，令人心醉。

开着白花的小草
为足下空间带来清新感

月季的主要色调是粉色，容易显得过于艳俗，可使用鹅掌草（*Anemone flaccida*）等开白色小花的低矮花草来中和气氛。

透过月季可以看到对面朴实的工具小屋
仿佛走入童话中

从花房向外望去，窗户被花簇包围，可以看到对面的置物架。摆设桌由一台老式缝纫机改造而成，浪漫而古典。

在围栏、花房、藤架上牵引藤本月季“梦乙女”、“安吉拉”，使整个花园被月季包围环绕。

面积 / 约50m²

风格 / 玫瑰环绕的花园

亮点植物 /

蜡花（*Cerinthe major*）、共生植物

解读
让拱门更出彩的 Good idea 好创意

1 Idea

拱门后面的小屋成为视觉的焦点

穿过拱门看到小木屋，
仿佛画中的情景呈现在眼前。
这样的设计，
让人对深处的景色更加期待。

2 Idea

在通道入口设置拱门欢迎访客的到来

从花园入口的拱门
到排水管间都栽种了芳香品种的
藤本月季“娜荷马”，
用淡淡的芳香迎接客人。

3 Idea

在藤架上松松地搭上藤本月季的枝条营造出拱门的效果

从屋顶处曲线形地牵引了
藤本月季“安吉拉”。
分外茂盛的花枝，
形成华美的格调。

Part3

从上到下都被花朵环绕

利用立体栽培有效提升庭院的观赏效果

通过不同株高的立体栽植，让每朵花的姿态都得到充分展现。
无论是小庭院还是大庭院都适合的栽植方法，
营造出熠熠生辉的花坛。
下面就来看看这儿处鲜花盛开的庭院。

在有着复古窗格的墙面上装点雅致的藤本月季“喜马拉雅”（Paul's Himalayan Musk），使墙面更具风情，也提高了建筑物的整体格调。

精心修剪的黄杨树篱和各种造型树遮住了月季的根部。这株小熊造型是经过很多年才修剪成形的。

摆放的工具
都精心挑选
收纳空间仿佛油画

复古喷壶和英国花盆，都是不折不扣的园艺工具。从屋顶倾泻而下的藤本月季更让人目眩。

丰茂的绿植和月季花海交相辉映，令人无法抗拒的英式庭院

打造自己的梦想庭院、以外国书籍为参考

10年前，主人就以莫奈花园为样板，着手对这片曾经是加油站的土地一点一点进行改造。在她精心规划和细致照顾下，终于营造出今日的英式庭院。

庭院的主角，是古典玫瑰和现代月季中花姿娇柔的品种，选取白、粉、深粉等花色，并搭配铁线莲和芍药等华丽花卉，显得分外温婉浪漫。虽然月季数量很多，但经过合理的搭配，分布得恰到好处。

庭院周围被果树包围，修剪过的造型树是花坛的边邻。丰富的绿植层层叠叠，与千万朵鲜花融为一体。

主人搭配杂货的技艺也非常高超。为了突出庭院的历史感，选择了颜色暗淡的饰品，点缀于关键部位，使花园呈现出沧桑之美。

“希望退休以后，可以悠然地享受真正的英式花园生活。”主人的梦想也与庭院一起日益成长完善起来。

「打造规整与自然相结合的舒适空间」

波浪形的植物枝条成为两个区域之间的连接桥梁

将宽敞的庭院分为几个区域，按不同的风格分别规划。区域之间的拱门下种植了丰满茂盛的植物，形成炫目的视觉焦点。

具有开放感的休憩空间

控制植物数量，在开放的空间中放置带遮阳伞的宽大柚木桌椅，让人可以在私密的空间中度过轻松惬意的时光。

楚楚动人的花朵为背阴的空间增添色彩

在素朴的背阴空间里使用粗齿绣球（*Hydrangea serrata*）和玉簪等耐阴植物，增加了这里的水润质感。

小花藤本月季“喜马拉雅”和蔓玫形成一道彩带，将两处建筑物自然地连接在一起。

为花草增色的秘诀

POINT

经过反复尝试，在合适的地点种上自己最心仪的植物。正是这样的坚持，才创造出了具有说服力的场景。

使用动物摆件 增加花草的乐趣

铁艺公鸡和陶艺青蛙掩映在植物之中，仿佛随时会窜出来，让单调的空间充满戏剧性。

控制植物的高度 提升雕像的观赏效果

园中小路的尽头摆放着漂亮的雕像。小路边的微型月季和精心修剪的树篱营造出深远感，显得典雅规整。

富有存在感的摆件 为月季增添了华丽感

在月季“福斯塔夫”（Falstaff）的前面放置了一只日晷，摆件的古老质感与深色的月季花搭配出复古的风情。

拱门和建筑物的立面 是宿根草演出的背景

使用茂密的植物覆盖在建筑物和拱门下面，复古的窗格前放上大车轮和铁艺水泵，凸显含蓄之美。

选择名花异卉
打造细腻可爱的迷你花园

为了孩子和两只爱犬可以安心玩耍，从七八年前起开始把花园改造成了完全无农药的有机庭院。

是开花季节庭院绚烂的保障 秋冬时认真的照顾

10年前新建房子的时候，主人即开始着手造园。当初只是简单地把别人赠送的和自己喜爱的植物种在花园里，但是后来越来越感到“园子太小，只能栽植最心仪的植物”。于是把最爱的月季、铁线莲与宿根花草组合，形成了现在这种独特的栽植风格。

花坛中的各种植物既相互映衬，又浑然一体。搭配这些植物的技巧是在多年的种植中不断摸索总结的。“大花与小花组合在一起会产生极佳的层次感。我家的花园以月季为主，在月季下面栽种株高适中的植物，刚好可以填补空隙，展现出饱满而流畅的曲线。”

为了春天花园里能开满绚烂的花朵，在不开花的季节里更要悉心照料。

“春天观察宿根花卉的植株大小，秋天挖出来调整植株量时就可以心中有数。修剪月季时要一边想象开花的样子，一边耐心地牵引修剪。”

想象繁花盛开的情景，照顾花园便不觉辛劳，反而成为一件令人兴奋的事情。这样度过一年四季的庭院生活，每时每刻都感到充实而享受。

紫花与白花的组合
富于立体感

月季“冰山”和毛地黄的白花搭配铁线莲和翠雀，利用花卉间色差增加立体感。

丰富的绿色植物
让喧闹中透出宁静

月季“科尼利亚”、“龙沙宝石”，浅紫色的铁线莲……在丰富的绿色植物衬托下，波浪般的花朵分外迷人。

将大花和小花
月季组合在一起
让场景变化丰富

将大花月季“亚伯拉罕达比”(Abraham Darby)与白色铁线莲、深粉色的小花月季品种组合在一起，增加了起伏变化。

斜向铺就的砖路
增加了路面的延伸感

用亮色砖斜向铺出园中小路。砖路和两侧屏风般的植物相映成趣，让人期待小园深处的碧草幽花。

绿色与白色的搭配 花坛因之柔美和谐

1. 通向爬满藤本月季“龙沙宝石”拱门的小路，嫩绿的叶片和白色草花将粉色的月季衬托得格外惹眼。 2. “龙沙宝石”花朵饱满，稍稍下垂，非常耐看。 3. 在拱门下面种植的小花型半藤本月季“法兰丝娜奥斯汀”（Francine Austin），带来清新感觉。

面向公共道路的花坛边缘砌得凸凹错落，情趣盎然。植物下垂的枝条似乎临崖而生，透出无限生机。

彩叶植物将花朵的颜色衬托得更加鲜艳

在花朵较少的花坛里栽植玉簪及筋骨草（*Ajuga cilrata*）等彩叶植物，增加自然感的同时也提升了花朵的存在感。

「对照鲜明的花朵与绿植，组合成“表情丰富”的场景」

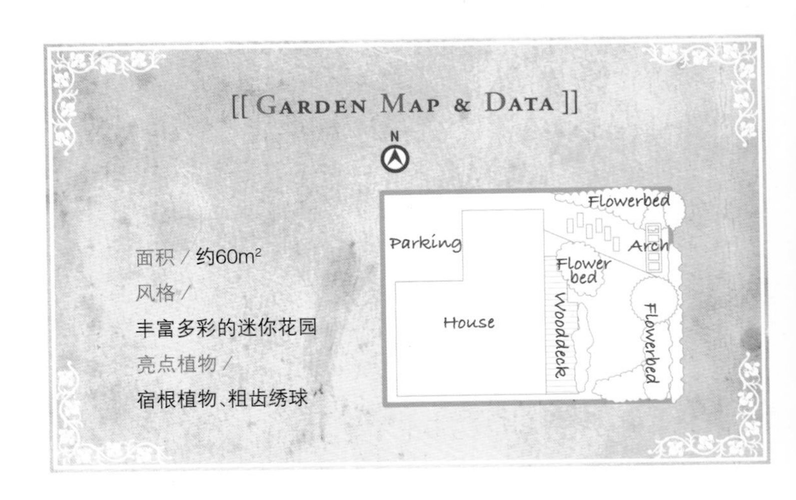

面积／约60m²

风格／

丰富多彩的迷你花园

亮点植物／

宿根植物、粗齿绣球

为花草增色的秘诀 POINT

不同花色和株型的组合是迷你花园的魅力所在。每个角落都有不同的变化，精彩纷呈，让人百看不厌。

深紫、浅紫、白色的叠加演绎出自然素朴的效果

在紫色铁线莲和飞燕草等色调高雅的植物衬托下，白色古典玫瑰“哈迪夫人”（Mme.Hardy）显得分外妖娆。

在开花相对少的角落可欣赏颜色和形状各异的叶片

粉蓝云杉（*Picea pungens*）、玉簪“法国威廉”（Frances Williams）等构成了颇具个性的彩叶空间，白色的毛地黄和开着小花的同瓣草融入其中，魅力十足。

在地面栽种姿态独特的花草丰富足下空间

间隔栽种宽叶韭（*Allium karataviense*）、艳蓝色的半边莲（*Lobelia chinensis*），使原本稍显冷清的地面一下子就热闹起来。

深色的栏杆衬托黄色的月季

以深褐色的栏杆为背景，栽种了月季“格拉汉姆·托马斯”（Graham Thomas），鲜明的黄花和绿色的叶片颇有视觉冲击力。

利用本地苗圃的月季和宿根植物打造宿根花卉庭院

在拱门的前方放置小鸟浴盆装饰给人浪漫之感

这条小路仿佛专为展示藤本月季“龙沙宝石”而设。小花月季“芭蕾舞女”覆盖着拱门，在视线的前方摆放了一个小鸟浴盆装饰物，构思奇特，妙趣横生。

让月季更加绚烂 利用本地的乡土花草

5月底，攀爬在拱门上的小花月季开始绽放，之后各种色彩丰富的花朵竞相开放，争奇斗艳。主人说，17年前刚造园时，建造了一座以冬青类树木为主的庭院。11年前两个孩子相继结婚，夫妇二人又重回二人世界，对庭院改造的热情一下子高涨起来，开始着手打造一直向往的月季花园。

“印象里月季是需要耐心打理的植物，我们开始参加本地月季爱好者的活动，一边学习种植方法，一边开始在自家增加月季的种植。”

不知不觉中，自家庭院里已经有50个品种的月季了。和这些月季搭配的是株形较高、姿态蓬松的植物，例如蕾丝花、宿根福禄考（*Phlox paniculata*），其轻盈的白花给月季花园增加了柔和感，而蓝色的翠雀则制造出冷暖色调的变化。

“搭配月季的花草都是在当地一家宿根植物苗圃买来的，这些花苗比较适合本地的气候，所以种出来的效果特别好。”注意选择花苗的产地，把月季和其他植物完美地搭配在一起，让这所繁花盛开的庭院生机盎然。

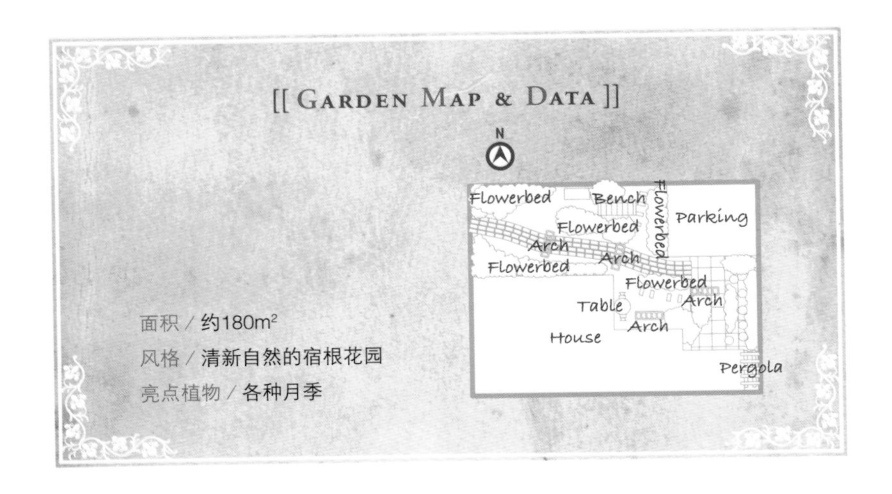

蓬松的红色花和白色花营造出张弛效果

成片种植的蕾丝花深具郊野风情，蓬松的白花将高处的藤本月季“安云野”衬托得更加耀眼。

在藤本月季“喜马拉雅”的下部种上蓝色的翠雀和鼠尾草，花坛氛围沉稳而大气。

为花草增色的秘诀

POINT

分清主题花、起衬托作用的配花和做背景的绿叶，分量搭配必须恰到好处。避免过分厚重，优先考虑花坛的整体感。

使用彩叶植物衬托橙色月季打造自然的效果

鲜艳的橙色月季“热可可”（Hot Cocoa）和“美智子”（Princess Michiko），都是灌木月季品种。银色叶片的绵毛水苏（*Stachys byzantina*）和阔叶的斑叶玉簪将整体场景衬托得非常出色。

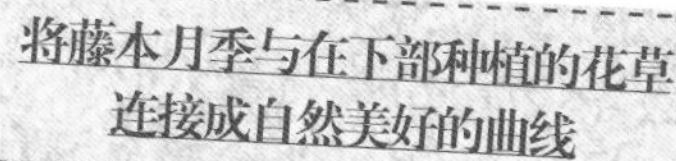

将藤本月季与在下部种植的花草连接成自然美好的曲线

使用黑种草等白花植物将攀爬着藤本月季“科尼利亚”的拱门和远处“芭蕾舞女”盛开的拱门连接在一起，悬吊在树枝上的磁质小烛台光彩照人。

搭配创意 精美的花草

向出色的花之庭院学习

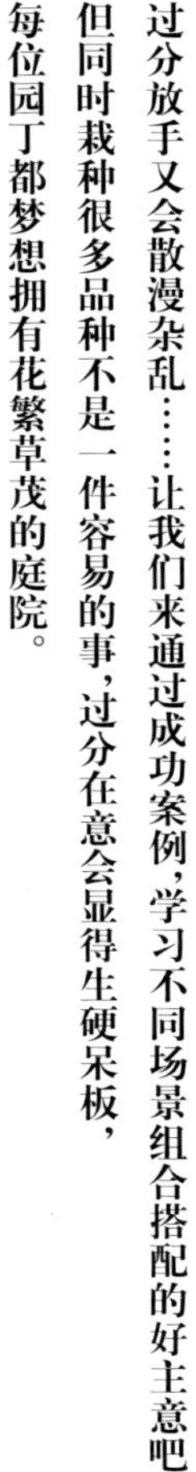
过分放手又会散漫杂乱……让我们来通过成功案例，学习不同场景组合搭配的好主意吧。
但同时栽种很多品种不是一件容易的事，过分在意会显得生硬呆板，
每位园丁都梦想拥有花繁草茂的庭院。

白色围栏的整洁感将银色叶片衬托得非常抢眼

栽植百可花（*Bacopa diffusa*）及天使花（*Angelonia salicariifolia*）等纤细的花卉，加上银叶菊（*Dusty miller*）的银色叶片，在背景的衬托下显得清新干净。

IDEA1

借助栏杆和挡墙 作为栽植的花布 搭建立体化庭院角落

自家外围的挡墙或外壁面积很大的话，或多或少会给人带来压迫感。利用这些墙面作为背景，栽种多彩的花草，是让庭院丰富起来的关键所在。

巧妙利用对比效果 营造成熟稳重的氛围

浅粉色的英国玫瑰“仁慈的赫敏”（Gentle Henrione）、紫红色的“曼斯特德伍德”（Munstead Wood），和蓝绿色的玉簪叶片非常相配。

结合围栏的曲线 选择有高挑花穗的植物

在茂密的花丛后方栽种林荫鼠尾草（*Salvia nemorosa*）和宿根柳穿鱼等株型修长的植物，空间效果很好。

以白色围栏为背景映衬出柔美的花色

浅黄色月季搭配深粉色花葱和蓝色矢车菊，与白色栏杆相配显得自然柔和。

用亮色装点房屋外墙增加轻盈感

将铁线莲和月季的枝条向窗口引导，并在根部栽种宿根柳穿鱼和开白花的鹅掌草，铁艺格子勾勒出紧凑动人的画面。

纤细的绿植覆盖不起眼的角落

建筑物上呆板生硬的地方，可用柔和的观叶植物，宿根柳穿鱼、矾根等进行调节。

在质朴背景的衬托下演绎出乡村风情

以木制围栏为背景栽植毛地黄、老鹳草、绵毛水苏等洋溢着野趣的植物，成片栽种是打造出开阔景色的关键。

轻盈的植物描绘出乡愁的原野风情

在风中摇曳的钓钟柳（*Pentstemon campanulatus*）、耧斗菜，根部使用灯盏菊（*Erigeron breriscapus*）装饰，与园间小路和围栏非常协调，整体氛围安逸恬静。

IDEA 2

采用向前突出的栽种方法 两侧植物簇拥着魅力十足的园中小路

弯弯的小路仿佛被两侧的花草包围，显得自然而舒适。注意选择不易被风吹倒的植物。

仿佛高原上的木栈道 自然清新的小路

丰沛的绿植和白花簇拥着一条由枕木铺成的蜿蜒小径。旁边的月季“白龙沙”显得华美而优雅。

朵朵小花装点 简约的石子小路

在砾石花园的小路边种上白色的滨菊花带，同时使用粉色的石竹，在素净的基调里点上一抹亮彩。

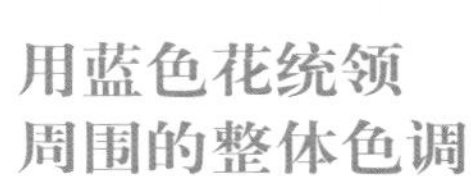

用蓝色花统领 周围的整体色调

在园中小路的转弯处栽种奥地利婆婆纳（*Veronica austriaca*），明亮的蓝色与粉色搭配在一起，非常漂亮。

让摆件更抢眼的花草搭配

在草坪铺就的园间路边栽植荆芥等曲线纤柔的花草，作为视觉焦点的石柱和小鸟浴盆被衬托得厚重而醒目。

被充满野趣的花朵包围的 秘境小路

在拱门下的小路两边栽种麦仙翁和矢车菊，悠长的小路仿佛一条花的隧道，视线经过收缩后，增加了深远感。

IDEA 3

在近处栽植低矮的植物打造出蓬松满溢的效果

大面积的花坛容易让人感觉平淡无趣。通过组合栽植花色和姿态不同的植物，再添加色彩浓烈或大朵的花作为焦点，就可以让人耳目一新。

数株草花聚集在一起栽植更能彰显存在感

在植物多样的庭院里，必须将各种花的效果充分调动出来。细高的植物微微前倾，显示出旺盛的生命力。

少量的玫瑰色石竹起到星星点点的点缀作用

在浅粉色的龙面花和粉花蒲公英的柔和色系中，散落着玫瑰色的石竹花，温柔而轻灵。

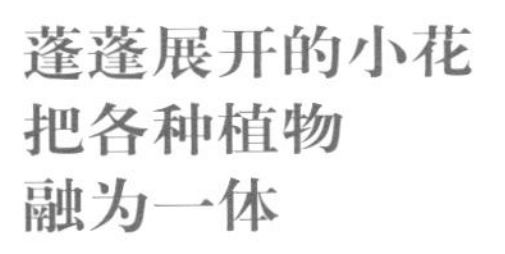

蓬蓬展开的小花把各种植物融为一体

远处栽种高挑的毛地黄，中段栽种金鱼草和距药草（*Centranthus ruber*），龙面花等蓬松的品种栽种在最近处，显得非常繁茂。

灌木的绿色将草花衬托得更柔美

以青梻（*Fraxinus lanuginosa*）为中心，远处栽种灌木，近处栽种花草。大丽花、麦仙翁、楼斗菜……宛若高原上百花盛开。

与路人共享的迷人花坛

种植花韭、德国蝇子草、石竹等小花品种，以花量取胜，展现出旺盛的生命活力。

IDEA 4

在宽阔的花坛里利用不同的株型制造起伏感

面积大的花坛容易产生过于平板的感觉，这时候需要合理配置花色和株型。在考虑整体平衡的同时，将深色和大花的重点植物分散开来。

野趣十足的草花带来脉脉温情

在一片浅色的老鹳草和洋甘菊之中，点缀深色的欧洲山萝卜、宿根植物、矢车菊等。

把存在感鲜明的花种植在一起形成强烈的视觉冲击力

把高大且颜色鲜艳的品种栽种在一起，此时花色的搭配及绿植的分量是成败的关键。

花朵形状和颜色的对比成为宽阔花坛的亮点

高大直立的毛蕊（*Verbascum*）和圆球形大花黄色与紫色产生强烈对比。

颜色柔和的基调中身姿高挑的植物增加了变化

以白色的花为背景，毛地黄勾画出竖直的线条美，下面蓝色的野蓝蓟（*Echium wildpretii*）则增添了稳重感。

白色花卉聚集一堂造就一个梦幻世界

以白色作为花坛的主题，栽种奥莱芹、滨菊等白花品种，搭配一把黑色的铁艺椅子，成为画面中的点睛之笔。

利用不同的植物数量和颜色来控制张弛度

对于像花海一样茂盛宽广的花园，需要赋予它波浪般的高低起伏感。这里利用羽衣草（*Alchemilla mollis*）及杞柳等颜色明快的叶片，通过明暗的变化巧妙地实现了这一点。

点线结合的茂盛栽植

纵向延伸的毛蕊花花穗、欧洲山萝卜和月季等深色花……将不同的色彩以线条和大小点的形式串联起来，使场景变幻有致。

夺目的花色把风景紧紧收拢

花园里盛开的花朵热烈奔放，但容易显得凌乱，鲜艳的向日葵和毛剪秋萝（*Lychnis coronaria*）能起到很好的收敛稳定作用。

利用三色堇和角堇装扮一个华美的早春庭院

专业的组合盆栽和地栽技巧

三色堇、角堇，是花事阑珊时的必种植物。
组合盆栽、花坛、地栽，是不是只能墨守陈规呢？
让我们参考专业园艺师的案例，把从冬季到早春的庭院打扮得面目一新吧。

组合盆栽 篇

利用角堇类制作组合盆栽，可以从晚秋开始，以花色美丽的堇类为主角，旁边选择栽种耐寒的观叶小树木作为配饰，常青藤或是薹草之类姿态飘逸的品种都很合适。另外，也可以搭配球根植物，甚至菠菜、彩叶生菜等蔬菜。

以小花型的角堇和三色堇为主，制作 3 个类型的组合栽植，添加上柔长藤蔓和随风飘拂的绿叶，成为春意盎然的盆栽。

STYLE 01 自然经典

NATURAL ELEGANT

添加有蜡叶的植物 演绎出典雅的景观

这个盆栽既不过分华丽，又富于典雅的女性魅力，让人想起鸡尾酒会上的小礼服——端庄而妩媚。轻盈烂漫的复古色三色堇中间，簇拥着叶色光亮的金叶柊树和自然飘逸的薹草，整个造型舒展、大气。

a. 彩叶柊树（*Osmanthus heterophyllus*）
b. 斑点薹草（*Carex morrowii*）
c. 三色堇

春天原野般
轻盈甜美的空气

在和煦的春日阳光下，青翠的绿叶间可爱的粉色小花露出笑脸，这只小小花篮再现了春天原野上常见的光景。斑叶富贵草、矮小的角堇、纤细的香雪球和常青藤组合一起，娇美可爱。

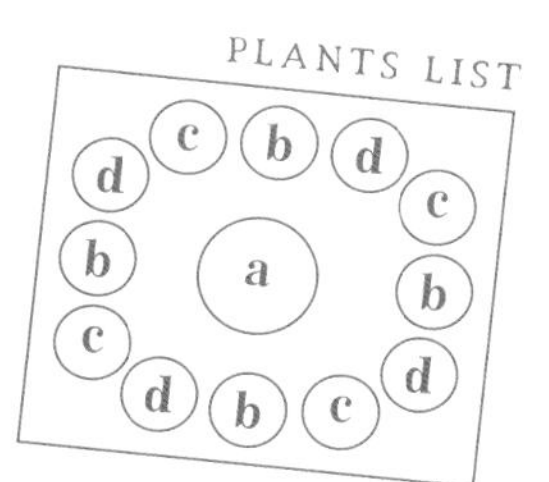

a. 斑叶富贵草

b. 角堇
c. 香雪球

角堇“玫瑰虎”

玫瑰粉到杏黄色的渐变色

彩叶植物搭配紫色卷瓣花
稍稍另类的暗色系组合

粉嫩春日里让人耳目一新的成熟风格组合盆栽：带有银粉的蓝叶羽衣甘蓝和同样稳重的矾根和谐地融为一体。三色堇的中心部分呈明黄色，浓郁厚实的天鹅绒质花瓣把整个画面聚拢在一起。

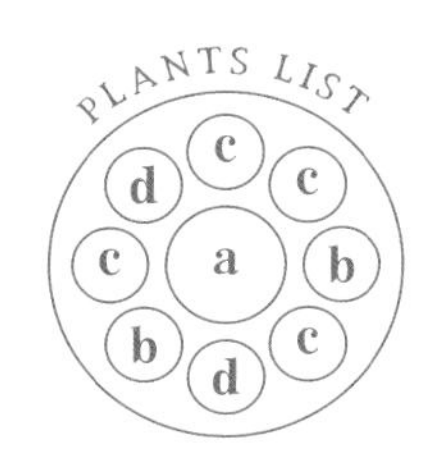

a. 羽衣甘蓝
b. 三色堇
c. 叶色不同的矾根 3 种
d. 麦冬“黑龙”

三色堇“卷瓣尼罗”

波浪形卷瓣的天鹅绒质感紫色大花

花坛地栽 篇

角堇、三色堇类的植株比较低矮，但是株型相对丰满，种植于花坛或园地，可以营造出丰盛浪漫的早春风情。因为色彩鲜艳，在选择搭配植物时，应该合理调配，保持均衡的色调。不宜让太多亮色堆积在一起，显得杂乱刺眼。叶色优雅的银叶植物或低矮的常绿小灌木都是不错的搭配。

园路旁边的花坛、前庭花园、建筑物一角等狭小空间里的搭配，应避免平面化，丘陵状的栽植可以达到自然的效果。

和株型较高的植物
组合成
华丽的花坛

要想打造一个春意浓浓的花坛，配色是成功的关键，添加暗色调的植物后，控制了甜腻感。大花坛的后面种上高大的植物，前方搭配三色堇等低矮的草花，形成立体感。

角堇 & 三色堇

角堇“芬尼系列 报春双色”
柠檬黄色和白色的双色花

三色堇“波斯惊喜”
酒红色大花带黑色中斑

角堇“杏色古典”
杏黄色和玫瑰色渐变色花

避免单调的栽植，中间种上新西兰麻和紫罗兰，交织出随意自然感。

前庭花园里种上色彩对比鲜明的花朵
从远处看十分亮眼

使用原色的撞色会有粗杂低俗感，推荐使用深紫搭配淡黄，这样的组合会更加和谐优美。

在羽衣素馨和芬香天竺葵中间，并排种植深紫色和淡黄色的三色堇、角堇。

角堇“芬尼系列 报春双色”
柠檬黄色和白色的双色花

三色堇“格蕾丝”
紫红色大花带白色边缘

房屋的角落等小空间
利用渐变色更有看点

在灌木的脚下种上三角堇、角堇和小型草花类植物。小空间里利用同色系的花色保持统一感，而深浅不同的花色，用三叶草等绿叶连接起来，显得清新而润泽。

角堇“芬尼系列 兰花”
紫色渐变花带黄色花心

角堇“芬尼系列 兰花冰霜”
淡紫色渐变花带紫色中斑

藤本茉莉和香叶天竺葵的绿叶中间，交错种植着深紫色和淡紫色的三色堇、角堇。

小黑老师的园艺课

Gardening Lesson

利用三色堇、角堇、仙客来等早春花卉制作杂货风格的花卉展示架

春寒料峭，花园还是满目萧索。踏上薄冰犹存的花径，布满寒霜的枯枝败叶在脚下咔嚓作响。大部分植物的枝叶在冬季休眠期都被修剪得干干净净，除了常绿树木以外，几乎看不到绿意。

然而从 2 月开始，枯枝上的芽头渐渐饱满，而枯黄的田畦中，不知什么时候偷偷冒出了杂草的新芽。越来越多的信号显示，大地在日复一日地恢复生机。

此时，我们暂且不要去打扰沉睡的花园，而是最大限度地利用花盆、花篮以及花园杂货，把房前屋后打造成一个绚丽的展示场所。

虽然早春不是一个繁花似锦的季节，但此时开花的园艺花卉并不在少数，如仙客来、三色堇、角堇等正值盛花期。跟数年前相比，目前市场上可以买到的品种大大增加，特别是春节期间各地都会有年宵花市，去花市挑选心仪的品种更是一件赏心乐事。仙客来有各种大红、粉红、紫色系，而恰好与之互补，三色堇类则以蓝色、紫色、黄色系取胜。仙客来的花型有普通的和波浪花边的，而堇类的株型也有直立型和垂吊型，挑选时可以仔细比较再决定。

既然花色品种如此丰富，简单的摆放观赏不免让人觉得意犹未尽。在这里，给大家推荐几种利用早春花卉和花园杂货组合成展示架的方法，给冬季的庭院来个华丽大变身，让早春也显得缤纷多彩。

Container 容器栽培

以粉红花色为背景 点缀柠檬黄 和地栽花坛保持一体感

代替组合盆栽或是大型花盆，从花架的阶梯上悬垂下灵动的花篮。在花架脚下地栽的植物和花架上的植物保持一致，统一成一个和谐的整体。以仙客来、三色堇为主，花色基调为粉红色系，加上浓淡深浅的变化，形成美丽的渐变。在篮筐、吊篮里种植常青藤、忍冬等黄绿色观叶植物，更强调了整体的连续性。

花架脚下的小花坛里，种植着古典的杏黄色角堇和粉红色仙客来，保持了从花架的篮筐到地面过渡时的延续性。

在花架上放置了两个容量较大的横长形花篮。因为下部可能显得过分沉重而失去整体平衡，特意在上部添加了一个种有金叶忍冬的吊篮。忍冬叶色明亮，可吸引视线适当上移。

Pot Rack
双层花台

两段式的花台为主角
富有透明感的果冻色系
组合成聚会风格的桌面展示

在餐桌上放上异常华丽的展示组合：双层花台里栽种了水蓝色、深紫色、熏衣草色的三色堇，搭配深色的叶片，形成美妙的蓝色海洋。花台托盘里垫放的苔藓，特意选择了金黄色的品种，显得春意盎然。

在花台周围，放上三色堇、活血丹（*Glechoma longituba*）、芒刺果（*Acaena inermis*）的小花盆以及剪下来的针叶树枝条，点缀数枝八角金盘的花蕾，显得生气勃勃。桌上的古董杂货风格烛台、水壶则很好地控制了整体的格调。

仿佛画册中的风景一般，在常绿树的前方摆上这张展示桌子，色泽淡雅的木桌和水蓝色系的花朵清雅秀丽，呈现出透明感十足的春意。

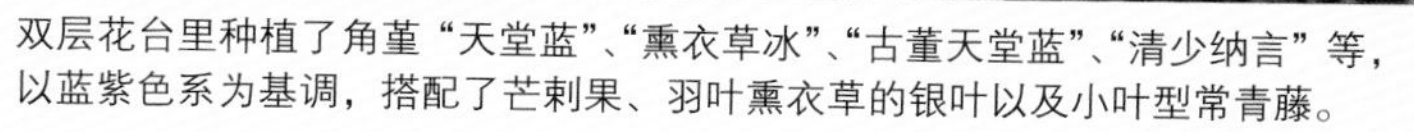

双层花台里种植了角堇“天堂蓝”、“熏衣草冰”、“古董天堂蓝”、“清少纳言”等，以蓝紫色系为基调，搭配了芒刺果、羽叶熏衣草的银叶以及小叶型常青藤。

Mini Pot
迷你花盆组

在花园小屋下，放置木桌来展示可爱的盆栽小花。桌子周边也散放上各种别具风味的杂货，组成热闹有趣的小景。

选择深紫、绛红的花色单独种植
小花盆随手放置
典雅却又家常

将体积较大的花盆放在桌子两侧，使整体更有安定感。展示区域的中间，放上大约5cm高的台子作为展示台，再把小花盆叠在上面，就像拍照时的楼梯一般。在背后设置了一个木制格架作为背景，装饰以杂货和小花盆，呈现出立体的迷人风貌。

通常三色堇、角堇类走的都是甜美可爱路线，但是这个搭配让我们看到它深沉优雅的一面。花色上选择了深紫和深绛红色系，花瓣也选择了富有绒布质感的厚重瓣型。种植在大小不同的花钵里，个性十足。

小庭院的季节问候

Greeting of the season

叶片和茎带着紫色，原产南非的多肉植物“红宝石”。块根植物，可以想象原产地非常干燥。

照顾每一株植物的生长习性 了解原生地的气候环境

关注多肉植物独特的株型

寒意沁骨的早春，植物们还在静静沉睡，默默忍受着寒风和低温。从秋天开始我就会把不耐寒的植物收起来，放入室内或是屋檐下管理，这时的室内就像温室一般摆满花盆，热闹得很。因为多肉植物既害怕酷热潮湿的夏季，又不能耐受严寒，还害怕憋闷的环境。所以，通风向阳的窗边，是我放置多肉植物最多的地方。

多肉植物的叶与茎都很肥厚，样子奇特。大部分原产于南非、马达加斯加或是中南美洲的干旱地区，它们把宝贵的水分储存在肥厚的叶片或茎中，以此度过干燥的季节。提到干旱地区，我们头脑中会浮现出一片炎热沙漠的风景，其实，多肉植物的原产地也有凉爽的雨季，特别是高山地区会相对冷凉，并非每天都是灼热的。

非洲原产的多肉植物，有着格外不可思议的外形。是独特的自然环境造就了它们奇特的外貌吗？想到这里，就忍不住想看看它们原生地的风景。

例如十二卷，在原生状态下是深深埋在砂砾下生长，植物整体不能够全部暴露在阳光下。所以在叶片的尖端，慢慢进化出一个透明的窗体，阳光穿过窗体，进入叶片的深处，从而实现充分的光合作用。所以，不仅仅是水分，多肉植物对于光线的摄取也这样用心，可谓为了生存而不懈地努力。

除了十二卷，其他的多肉植物那些奇特的外形，也是为了对抗严酷的自然环境而逐渐演化出的独自的对策。在了解到多肉植物这一点之后，不禁为它们的勇气而感动，再看到它们那多姿多彩的形态，也会觉得格外可敬可爱。

从左到右：个性十足的南非多肉生石花组合。/ 叶片尖端具有美丽的透明窗体的十二卷。/ 仙人球“绯牡丹”。整株植物没有叶绿素，是嫁接在下面的砧木上的园艺品种。/ 原产于墨西哥沙漠的仙人掌。白色的细刺不仅可以保护植物不受野兽吞噬，还可以缓和日照，从雾气中攫取水分。

从左到右：在热带原生的凤梨科植物空气凤梨也是 CAM 植物的一种。它附生在树木或岩石上，很难用根部获取水分。/ 因原生地缺乏养分，而进化出捕食昆虫来获取养分的瓶状结构的瓶子草。/ 在树干上附着根部来生长的大花蕙兰。在这种很难获得水分的环境中生长的多半是 CAM 植物。/ 玫瑰的原产地是小亚细亚。这样完美的形态让人感觉是一个奇迹。

利用高效率的光合作用适应当地的环境

不仅是多肉植物，所有生物都在长期的进化过程中不断地改变自身来适应自然环境，从而形成了多种多样的类型。植物的进化不仅体现在外型上，在维持植物生命最重要的光合作用方式上，也同样体现出适应环境的特性。

光合作用是植物利用太阳光等光能，把水和二氧化碳转化成植物生长所需要的碳水化合物的过程。这种合成过程，根据植物不同可以分为 3 类。其中二氧化碳被固定后最先形成的化合物中含有 3 个碳原子的 C_3 植物和含有 4 个碳原子的 C_4 植物，都在白天进行光合作用。大多数植物都属于 C_3 植物，原产于温带地区。而 C_4 植物则以热带原产的植物为多，它们的体质在强光和高温下能更有效地进行光合作用。生长快速的甘蔗、玉米都属于这一类。也就是说，光合作用最初形成的碳原子数量对于植物个体的形成有着巨大的影响。

相对这些植物，还有一种在夜间进行光合作用的植物叫做“CAM 植物”。这一类多见于干燥地区原产的植物，由于白天张开气孔会导致水分蒸发，所以在夜间凉爽时才进行合成。除了众所周知的景天科、龙舌兰科和仙人掌科等多肉植物以外，凤梨科和兰科的一部分也属于这一类，例如兰科的卡特兰、万代兰、蝴蝶兰、大花蕙兰等附生类兰花。这类兰花的根系不是扎进土壤，而是附着在树木上，很难保留水分，所以它们也和多肉植物一样长出肥厚的叶片来储存水分。

生物逐渐适应着不同的生存环境，分布也更加广泛。观赏这些漫长岁月中所产生的变化多样的植物形态，我们会不断体会到大自然造物的神奇。

在光合作用中的呼吸和蒸发都由表皮来进行，所以表面积越大效率越高。仙人球“缩玉”甚至在球体上长出一道道楞纹来增加表面积。

浇水的最佳时间点一般是植物即将蔫萎之前。根部为了寻求水分会努力生长，适当的干燥有利于根部的发育。

升高体液温度以提高耐寒性

对很多动植物而言，冬季的严寒都是生存难关。在植物中常见的过冬方法是减少体内的水分以提高体液浓度，降低结冰点来提升自身的耐寒性能。从秋季开始逐渐增高体液浓度，细胞质即使受冻也不会被损坏。所以我们为了防止植物冻伤，应该尽量减少冬季浇水。同时冬季叶片中的水分蒸发也较弱，即使少量的水分也足够生存。

设计师的提案
绝不寂寞的少花季节庭院栽植

从晚秋到早春，在这个长达数月的少花季节里，怎么才能让花园不再冷落萧瑟？让我们关注利用树木和观叶植物巧妙搭配的植栽技巧，通过以下实例演示，可以看到经过设计师的妙手指点，这个季节的花坛不仅不再寂寥，反而变得缤纷多彩，充满生机。

利用常绿植物来打造稳重的成熟风植栽 idea1

使用的植物 黑叶草珊瑚（*Sarcandra glabra*）、吉祥草（*Reineckea carnea*）、圣诞玫瑰、蕨类、春兰、细叶十大功劳、麦冬等。

这个花坛里聚集了冬季也一直保持青翠叶色的常绿植物，而且都能耐阴，是可以在半阴地健康成长的强健品种。郁郁葱葱的植栽里，添加上线条美丽的观赏草和红叶植物，不仅清新亮眼，而且让整个区域富于立体感，一年四季都充满不同的美感，格调自然而高雅。靠近园路的植物没有用直线来生硬区划，而是设置了凸凹的起伏，充满了山野风趣，在这里再放上几块有分量感的天然石块，营造出成熟稳重的风韵。

关键植物的特征

描绘曲线的叶片

吉祥草

细叶十大功劳

增添亮彩的白花

传统水仙

演绎出立体感的红叶

细叶十大功劳

红叶木藜芦（*Leucothoe fontanesiana*）

column

让植栽更美观的设计师的秘诀

以不等边三角形来组合树木和花草

随着我们不断把喜欢的植物栽种下去，整座花坛往往在不知不觉中失去了均衡。这时可以离远一点观察一下，然后在头脑中规划一个不等边三角形的形状，按照这个形状来种植植物，就可以让植栽具有平衡感。另外，如果花坛中种有树木，采取树木和草花3：7的比例，整体会容易保持稳定的形态。

使用的植物 紫叶奥勒冈、三叶草、薰衣草、旋花、白桦树、水果蓝、费约果（*Feijoa sellowiana*）、中华报春、圣诞玫瑰、矾根、婆婆纳“剑桥蓝”等。

银色 × 紫色 × 白色 在寒冷季节的庭院里活用多彩的色调 idea2

银色、紫色、白色是寒冷季节里容器草花组合常用的色彩，这几种不会失败的标配色系，同样可以用于庭院。以白色树干的白桦树为中心，按照上页介绍的不等边三角形来组合，种植背面为银叶的灌木费约果，以及叶色蓝灰的矮生旋花。最后把古铜色的紫叶奥勒冈和白色报春花作为焦点，配置在花坛的最前面，起到聚集目光的作用。

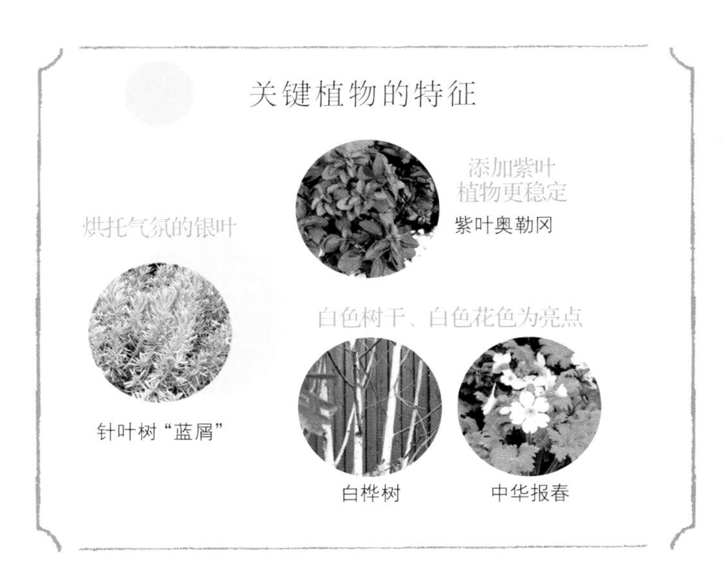

关键植物的特征
烘托气氛的银叶
针叶树“蓝屑”
添加紫叶植物更稳定
紫叶奥勒冈
白色树干、白色花色为亮点
白桦树
中华报春

枯黄的观赏草依然姿态美丽 怀旧情调的复古花园 idea3

在温暖的午后阳光下，观赏草枯黄后的姿态依旧充满了美感，这个向阳的花坛就以这种复古美作为主题。禾本科和莎草科的植物，很多都保持着直挺的姿态枯黄褪色，不会倒伏杂乱。芒草、薹草、狼尾草等枯姿优美的观赏草丛中，点缀紫叶、金叶和有红叶现象的常绿树木，可以演绎出微妙的色彩变幻。在下午 3 点以后的斜阳映照下，草丛金光闪闪，格外美丽！

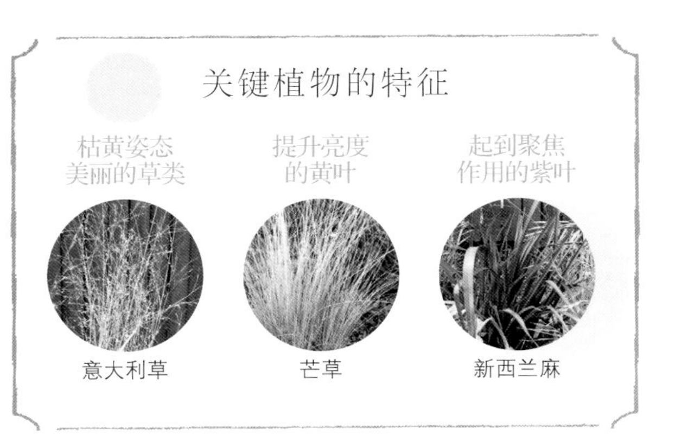

关键植物的特征
枯黄姿态美丽的草类
提升亮度的黄叶
起到聚焦作用的紫叶
意大利草
芒草
新西兰麻

使用的植物 意大利草，日本花柏（*Chamaecyparis pisifera*），芒草，新西兰麻，莎草（*Cyperus microiria*），矾根，薹草，风知草，十大功劳等。

就算没有花坛，巧用心思也能拥有一个错落有致的庭院！

阳台 & 露台 Garden 花园

没有土壤，阳台及露台难以制造出花畦和花坛。但是，条件的限制并不妨碍聪慧的主人利用各种奇思妙想，打造一个精美独特的花园。这一次，我们就来看看 3 座面积、环境各不相同的庭院，是如何运用花盆、架子、杂货创造出精彩的园艺空间的。

配备雨篷
确保舒适自在
的空间

特别考虑到从放置桌椅处望出去的景致，对庭院整体进行了布局。时常替换摆放的盆花，确保四季都有花可赏。

CASE 1 Roof balcony

宽敞的屋顶露台

用大型的组合盆栽打造出韵味十足的花径

这一处绿意满满的屋顶露台，其实是复式结构的高层公寓顶楼。郁郁葱葱的空间和周围的群山融合在一起，看起来完全是和地面庭院一样的景色，让人想象不到是只靠盆栽构成的。露台上使用的都是直径大约 1m 的大花盆，种植了树木和宿根草本花卉，显得生机勃勃。通过巧妙搭配大小不同的花盆，组成起伏有致的花坛，再铺出一条蜿蜒自然的花径。

各个花盆的下面都别具匠心地安置了小滑轮，移动起来非常便利。配合季节自由替换配置，可以充分享受一年四季的景致变化。

大型收纳柜兼装饰架
化身为陈列多肉组合盆栽的展台

为了藏起种类繁多的杂物，特制了这件巨大的收纳柜。柜子设计时尚，通过小小的创意，立刻化身为展示多肉盆栽的好舞台。

集中多个花盆
造就岛屿式花坛

在露台的正中间，用大花盆组合排列成一个绿色的圆阵，形成了一条可环游整座庭院的流动路线。

运用台座
赋予空间立体感

灵活运用花台花架，在平坦的场所也能让盆栽显得高低落差。把花盆高度抬升到接近视线处，尽显植物魅力。

借由观叶植物的组合盆栽
自然掩盖后面的大花盆
从上到下绿意葱笼

为了不让大花盆太显眼，在前端摆放盆栽观叶植物。高低错落从上到下都绿意满盈。

露台花园主人的
小小建议

“利用盆栽间的
高低落差，呈现
出立体感。”

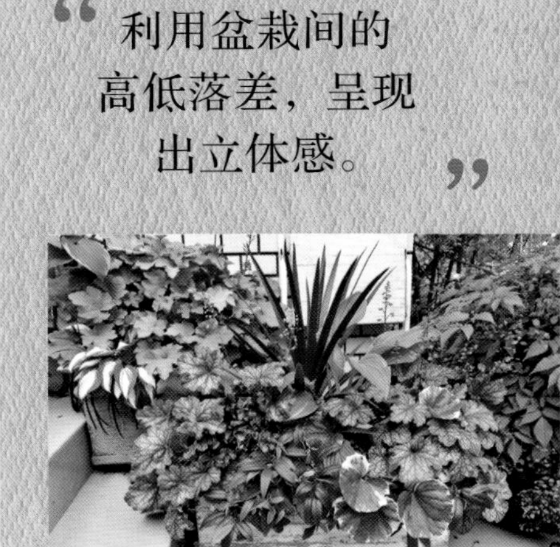

左 / 矾根（*Heuchera micrantha*）和新西兰麻（*Phormium tenax*）组成的雅致盆栽。富有设计感的精巧组合，前后稍稍错开，层次感十足。 右 / 在楼梯的台阶上摆放花盆，和上方地板上的盆栽自然地融合在一起。

丰富多彩的小物件
装点出微妙趣味

将木箱、桌椅和各式各样的盆栽排列组合起来。灵活运用性质各异的物件，营造耐人寻味的看点。

Veranda of apartment

公寓的阳台

运用木架及台座制造高低差 立体地进行展示

搬到了配备宽敞阳台的公寓后，主人开始接触园艺。一点点地开始购买自己喜欢的草花，以“法国风 & 做旧风”为主题，巧妙地布置了一个精致的阳台花园。她成功的秘诀是：把家具及木箱等当作花架，高低错落地进行立体装饰。

叠放盛土豆的木箱，摆上黑叶报春花（*Primula malacoides*）和三叶草等小型盆栽，斑驳的桌子上排列着雅致的多肉植物花盆……植物搭配别具风味的物件，更加衬托出草花的妩媚。

运用陈旧的桌子和椅子
造就一个温馨的角落

有着20年历史的桌子上摆放了多肉植物黑法师、夏堇（*Torenia fournieri*）的盆栽，与木桌的斑驳油漆搭配，植物也展露出别有风味的表情。

在空间的尽头放置一把梯子成为庭院的重点

在梯子上放置带有重量感的红莓苔子（*Vaccinium oxycoccos*）盆栽，仿佛空间的标志物。朴实无华的小道具，非常适合这座氛围自然的阳台。

聚集纤细的草花提升自然感

将绿叶茂密的牛至（*Origanum vulgare*）等放在地上，椅子上则摆放了白色和紫色的小花盆栽，巧妙营造一个温柔细腻的角落。

用古旧木箱和褐色花盆营造存在感

古旧的木箱上，放置了羽衣茉莉（*Jasminum polyanthum*）等盆栽。经历了岁月的木头质感，让绿植的鲜嫩更加迷人。

阳台花园主人的小建议

“把空调室外机罩当作装饰台，死角也能很好地活用起来。”

左 / 带有窗扉的小木架。将多肉植物的小盆栽像标本一般放进去，四周摆上铁线莲及黄花新月（*Othonna capensis*），形成了时尚的杂货风格。

右 / 把在网上买来的空调室外机罩，粉刷成做旧风。干净的色彩让它作为花台也能大显身手。

借助花园硬件和家具
把视线导向内侧的阳台

左 /W1.5m x L5m 的阳台。凉亭的木椽以及左右交错种植的植物都在强调着纵深感。右 / 阳台前的拉门，提升了对前方的期待感，添加的白布则烘托出神秘气氛。

Veranda of house

独栋住宅的阳台

活用自己制作的花园硬件和杂货 营造出有纵深感的花园

这座阳台花园绿意盎然、极具私密性，处于让人意想不到的独栋住宅的 2 楼。

整栋住宅呈细长的 L 形，一侧尽头有个大约 10m² 的阳台。让这个小空间充满花园气息的主要功臣是主人亲手制作的各种白色木艺品。头顶上的房檐用凉亭遮挡起来；阳台的栏杆前用木板横排钉成围栏；脚下的瓷砖则覆盖素面木板……彻底排除阳台上的生硬元素后，四周配上郁郁葱葱的植物，如同林间小径一般舒适。

围栏旁边错落有致地摆放着椅子、餐桌，空隙间填满植物盆栽。通过引导视线，巧妙演绎出纵深感，造就了一座意趣盎然的阳台花园。

手工打造的小小凉亭上
牵引枝条下垂的玫瑰花

在靠房屋的阳台一角，安置木制花架，牵引藤本月季“高贵”。洒落般绽放的花朵带来丝丝温情。

陈列上别有风味的杂货
角落变得如同小房间一般

在露台和对面的阳台尽头搭建一个小小的凉亭。安装在背后的窗户，四周用装饰室内的杂货进行点缀，舒适而惬意。

运用盆栽的高低差
让植栽如地植一般

阳台一侧，以白色围栏为背景，错落有致地放置高低不同的盆栽，别具一格。

安装在墙壁上的假窗
感觉身处童话世界

小小假窗上安了一面镜子。下垂的花叶蔓长春花（*Vinca major*）映衬出四周的葱茏绿意，看起来更加宽敞清新。

住宅阳台主人的
小小建议

“在堆土中植入景天科多肉植物，再插入迷你栅栏，化身为一个小小花坛。”

围栏周围堆上约5cm厚的土壤，确保种植空间。栽上欧亚活血丹(*Glechoma Hederacea*)、珍珠菜属（*Lysimachia*）等地被植物，让脚下也有了一抹绿色。

东西太多
无法收拾干净，
物品的储藏收纳
最让人为难。

频繁地
拿出放进
真麻烦！

收纳难道
就是把东西暂时
隐藏到看不见的
地方？

「花园的收纳到处困难重重！」

有没有
美观整洁的
收纳方法……

收纳
空间
不够……

专为热爱园艺的你而准备

让花园改头换面的贮藏收纳方法

当我们在花园取材和摄影的时候，一旦向主人提出“能否看下花园里的储藏间”，往往都会被各种理由拒绝。
可以说，苦于不知如何进行花园收纳的人实在不在少数。
在本文中，我们将学习灵活贮藏物品的方法。学会这些聪明的收纳妙法，是打造精美花园的第一步。

解决以上的花园收纳苦恼！

每个人都有不同形状和体积的贮藏室。这次我们要探究的是收纳的方法。
看看这些由园艺高手归纳总结出的黄金收纳法吧。

由Nora & HUTS共同打造的收纳教程

5 精通收纳整理的个好点子！

开动脑筋的好主意 + 巧手 DIY 所得的成果！把市面上买到的储物柜，改造成适于花园收纳的形态。下面就为大家具体介绍。

这次我们要改造的储物柜是……

设计简洁，以天然木材打造的储物柜。植物性的涂料可以放心使用。大型储物柜（约L91.5cm× W60cm×H180.5cm）茶褐色

梯子、铲子等大型工具放在狭长的空间里

可以折叠的棍状工具调整成适当的高度，紧凑的放在顶部。

网格、塑料板等体积大的物品应摆放在储物柜最上部

考虑到取放的方便，尽量灵活使用上部空间。

剪刀、麻绳和簸箕等使用频度高的小物品放在随手够得到的地方

这是物品取放的最佳位置，但要注意不要让门的负担过重。

利用竖着的侧面作为收纳空间

用两块窄木板作为隔断，上下部用L形金属架从两侧固定。利用从市面上购买的金属网格板，打造侧面的收纳空间。木板按尺寸请建材中心切割好。

用一般的方法很难将整块板子固定，但如果在两根窄板中间就很容易装上。
家居店里购买的网格板也十分好用。

DIY要点

改造的时候，要注意避免钉钉子而发生雨天漏水的情况。在背面或侧面进行固定。

为了用得顺手 一定要将物品位置固定

需要整理的物品大小、形状各式各样，既有每天都要使用的，也有一年只使用几次的。大型的工具摆放在专用的空间，较轻的物品放在上部，较重的物品放在下部，是整理的三大原则。

原创的三角形固定夹具

Idea 2

把长柄的工具固定在储物柜的侧面，从而有效利用空间

长柄的工具无法放在下部，可以用三角形的固定夹具夹在墙面，有效利用狭长的收纳空间。

制作两个固定夹具，为了防止叉子掉落，不要忘记扣上挡木条。
这个形状的夹具，可以在 IKEA（宜家）买到，适合不擅长手工活的人。

Idea 3

容易凌乱的支架和支柱用L形金属架来归拢

在储物柜的侧面装上 L 形金属架。贴合的方式很容易取放，是有效解决松散问题的方法，但是取放的位置要仔细注意。

这样做真是太方便了！我家的也要改造成这样！
根据不同的使用情况，有时候凹字形的金属架比 L 形的更合适。可以灵活运用这些金属架。

Idea 4

育苗盘变身为木板下的收纳抽屉

利用原来安装在柜子里的铝材导轨放入育苗盘，当作抽屉。这样就不会浪费木板下的空隙。

育苗盘终于有了用武之地，不用扔掉了。
现有的木板很牢固，很容易调整。

DIY 要点

这次使用了铝材导轨。在侧面改造的时候，也可以用凹字形的导轨。事先在建材商场里切下尺寸合适的导轨，再打上直径 4 ~ 5mm 的孔。

剩余的油漆和除虫剂等一般不使用的物品放在储物柜的上部

为了在需要的时候一眼就能找到，使用频率低的物品放在容易看到的地方。

液体肥和其他肥料放在掉下来也无妨的安全高度

这些物品不要直接摆放在木架上，应放入盒子里细心的保管。

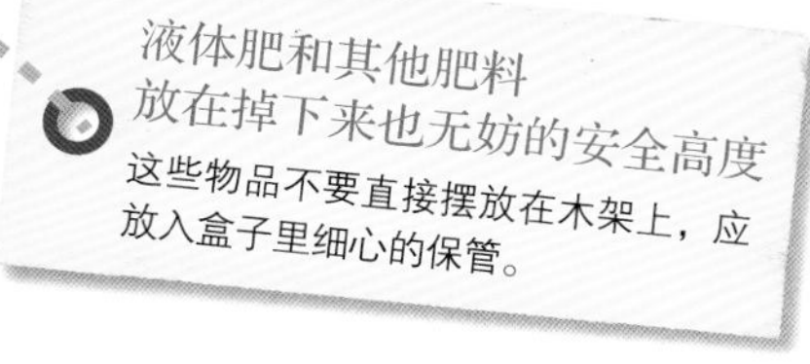

泥土类等不容易拿放的物品放在储物柜的倒数第二格

这些物品使用的频率低，但太重不容易放稳，所以要放在容易取放的位置。

花盆等不容易分开的重物放在储物柜的最下面

花盆、闲置的陶器等放在最下面，即使倒下来也不会摔碎。

Idea 5

每天使用的工具集中摆放在小桶里

使用频率高的工具，集中放在拿取方便的桶里，确保顺手。

工具多少有点脏，如果放在桶里就不用担心弄脏其他地方。
这样做容易取放，不用专门收拾。

花园 MOOK 教会你

毫无疑问！女性也能制作出来

—标准的凉亭—

就算是 DIY 达人，遇到大型构筑物，大多数还是会这么说“还是必须男士帮忙呀……”、“完全搞不懂该怎么制作才好。”

在此，我们向由 4 名主妇发起的园艺 DIY 小组 Nora 请教了制作一架标准凉亭的步骤及秘诀。通过她们的现场演示，可以看到，女性也完全能靠自己的双手制作出像模像样的大型花园物件。

亲手完成了众多户外花园物件的

业余园艺爱好者组织

以花友的委托为主，亲手设计完成的庭院数已经超过了 20 个。从油漆配色到潮流设计都创意十足，形成了独特的风格。

“Nora”是由 4 名喜欢打造庭院的主妇组成的业余园艺爱好者组织。这次是由擅长 DIY 和杂货装饰的两位女士来负责完成，她们默契十足的合作技巧，令人叹为观止。

背面靠着墙壁，附上长躺椅成为带座椅的凉亭

突出纵深感

做成较长的花廊或花架通道

女性也能制作的
标准凉亭

Let's Start ~!

首先，
确定想要制作的
凉亭的设计图。

画设计图

把握凉亭的尺寸，是成功的关键。
试着画成一幅简单的草稿图。

Preparations

预先准备

1. 画平面图
▼
2. 计算材料的尺寸，然后购买
▼
3. 木材的加工作业（※1 ~ ※3）
▼
4. 油漆

平面图

觉得制作沟槽有困难的人可以使用这种金属零件。

※3 在上部凿出能够嵌入 B 的榫眼

如上图一样，用锯子锯出能够套入木材的切口。秘诀是切割深度控制在木板厚度的一半以下。

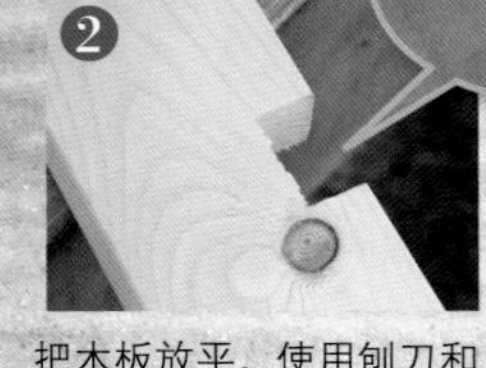

把木板放平，使用刨刀和木槌把沟槽部分的木材敲掉，修整平整底部。利用这一方法，一共制作 18 处这样的沟槽。

不用锯子也能制作出沟槽，但若采用锯切的方式，完成后会更好看。

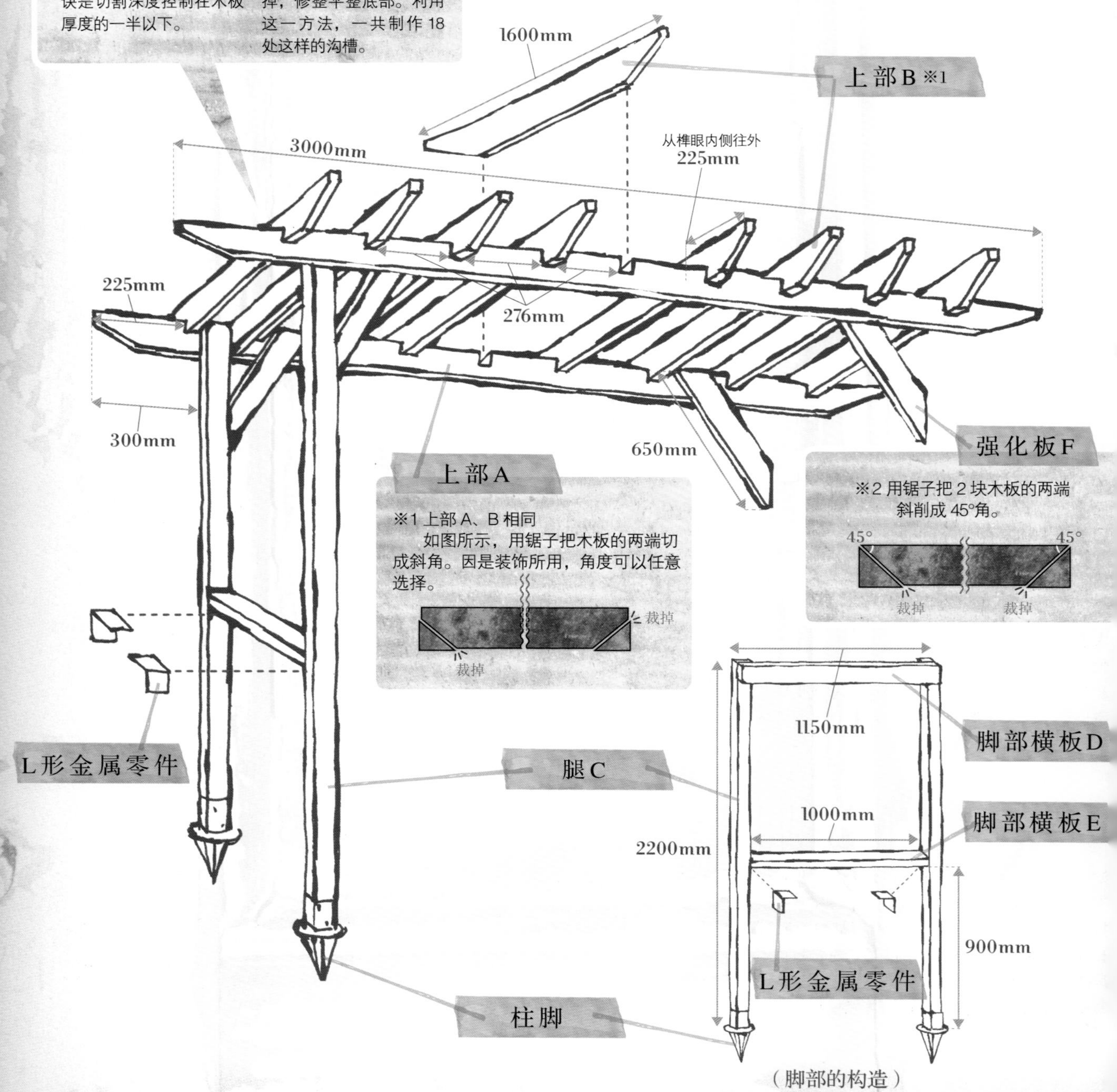

※1 上部 A、B 相同

如图所示，用锯子把木板的两端切成斜角。因是装饰所用，角度可以任意选择。

裁掉

裁掉

※2 用锯子把 2 块木板的两端斜削成 45°角。

45°　45°

裁掉　裁掉

（脚部的构造）

主要的工具

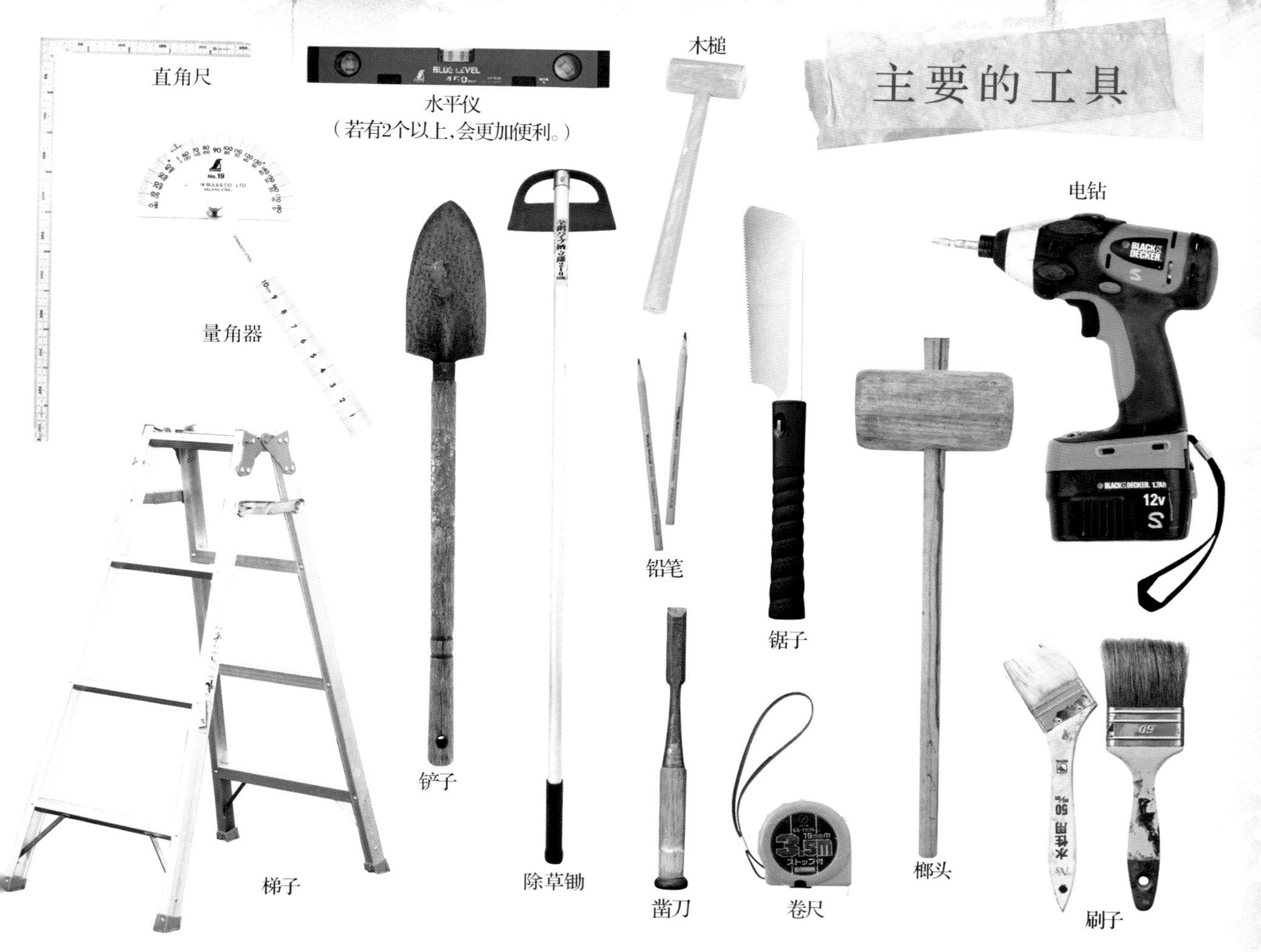

备齐材料

如图片所示，从木材的横断面仔细核对线条的弯曲及歪斜程度。核对好了一面再转到下一面，直到四面都核对完毕。选择笔直无瑕疵的木材购买。

根据平面图计算好材料，确定需要的工具之后，就可以去建材超市了！虽然在网上也能购买，但因为木材的弯曲越少完成后越美观，尽可能还是到现场核对了再选择为宜。

大型建材店去一趟就能购齐所有的物品，价格也较为低廉，值得推荐。把设计图带去，还可以顺便向店员咨询自己没有把握的地方。有些店家还提供工具的免费出借，以及小推车的出借，不妨问问对方是否有这类服务。

涂刷油漆

颜色可以随心所欲。这次是用白色的水性涂料混合了少量黄色。没有把握时，可以先暂时粉刷一遍，之后再调整为自己喜欢的颜色。

油漆以水性涂料为佳，它除了快干性的优点之外，涂在木材上还可以提高其耐久性。刷油漆的时候，不要掺水稀释，尽量快速地涂刷好。这样即使只刷一遍，也能完好地覆盖住木材表面。因为凉亭日后还会遭受风吹雨淋，所以没有必要涂刷得过分仔细，不让涂料疑结、手脚敏捷地快速完成是重点所在。

材料

使用经过防腐加工的木材强化耐久性

- 防腐剂加工处理完成
  75mmx75mm方木材……（腿C）
  2200mm x 4根
  （上部A）3000mm x 2根 ※1、※3
  （上部B）1600mm x 9根 ※1
  （脚部横板D）1150mm x 2根
  （脚部横板E）1000mm x 2根
  （强化板F）650mm x 4根 ※2
- 柱脚……4个
- L形金属零件……4个
- L25mm螺丝……32根（L形金属零件专用）
- L65mm螺丝……80根
- 水性涂料……2罐

步骤

1. 设置柱孔

设置场所如果有石头等障碍物，要先清理干净，让表面平坦。本作业的诀窍在于配合地表最低的地方，把高起的部分用除草锄耙平。

柱孔的位置

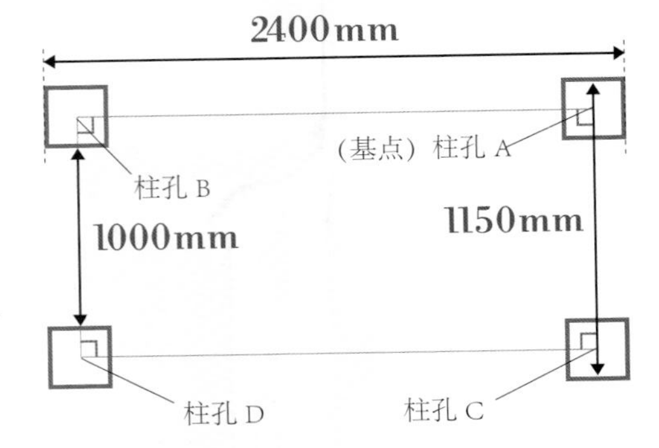

用卷尺测量，大致确定4个柱孔的位置，然后暂时放置。以柱孔A为基点，一边用木材及直角尺分别呈直角确定出柱孔B和C，一边对位置进行细微调整。然后，使用水平仪核对水平方向，最终确定A的位置。同样地，按照柱孔B、C、D的顺序进行设置。

2. 装配脚部

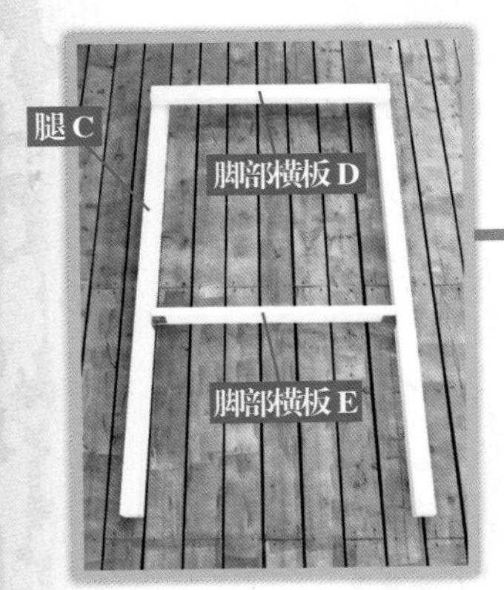

暂时组装好脚部专用的木板。确定横板E的安设高度，在腿C上用铅笔做好标记。

腿C与横板D的连接部分，分别从D的上方打入4根螺丝。其中，只有一处是确定打入，其他3处只是暂时打入。另一只腿也是同样的操作。

Point 要点
螺丝从上往下打入

在横板 E 的反面，将 L 形金属零件沿着腿 C，用配套的螺丝固定住靠近 E 的一侧（木头顶端分别固定 4 个点）

使用水平仪，将腿C/横板D调整为与地面垂直/水平的角度，将暂时打入了螺丝的3个地方重新牢固地拧好。

安设横板E。将E重叠在预先标好的腿C的标记之处，确认垂直水平后调整到准确位置。

从内侧用L形金属零件固定好腿C和横板E。4个地方分别打入专用的螺丝。为了不让E滑落下来，搁置在肩膀上钉螺丝会较为省力。另一边的腿也以同样的步骤安设。

Point 要点

周密测量、精准定位，决定工程的完美度。

设置每一个柱孔，都要循序重复以下3个步骤，才能设置好。

柱孔用榔头钉实。

把直角尺的内侧靠在需要成直角的两块木材上，量出直角。

灵活运用多余的材料，确定好柱孔的正确位置。

把暂时安装的腿嵌入柱孔中。对较重或不方便搬弄的物品，由两人合作，才能安全而顺畅地搬运。

ɔint 要点

垂直地把螺丝钻入木板里

E面对准木板，把螺丝垂直钻入非常重要。为了不让电钻倾斜，用左手扶稳柱子，笔直地钻入螺丝。

3. 安装上部A

在和腿接合的上部A的两端，从侧面分别打入4根临时螺丝。这是因为后面将在高处作业，事先做好准备，后面的操作会更顺畅。

两人从左右两边提起，把上部A放到腿的外侧，让接合部分紧密地对好。把临时螺丝中的一根从左右两边同时钉好。

在核对确定木板是否和腿呈垂直角度、和地面呈水平角度之后，把剩下的3根临时螺丝固定牢固。

Point 要点

高处作业让操作难度倍增

一边用单手拿着沉重的电钻，一边将螺丝笔直打入的操作难度本来就很高，加上是在高处作业，因此要格外小心。先用左手牢牢地压住，再小心地钻入螺丝。

4. 安装上部B

把9根上部B备齐并排好，在要嵌入到上部A的沟槽两端2个位置上，预先用铅笔做好标记。

一根一根放入上部A的沟槽之中。其中一个人站在梯子上，另一个人为其扶住。

位置完好地对上之后，从上方用木槌敲打嵌在沟槽中的B，让它和沟槽紧密地贴合。

如图所示，倾斜打入螺丝，固定在上部A上面。为了不让螺丝与螺丝之间摩擦，稍微错开些位置打入较好。

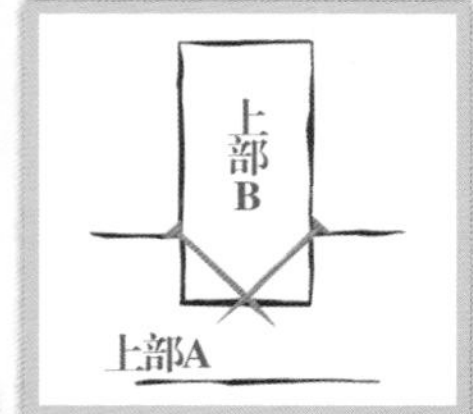

5. 安装强化板F

把两端被倾斜切断的强化板F的一端，用2根螺丝固定在上部A的内侧。

另一端则用1根螺丝固定在腿C的侧面。要在倾斜的木板上打入螺丝很不容易，先打好底孔再打入螺丝更省力。

Point 要点

用托架提升设计感

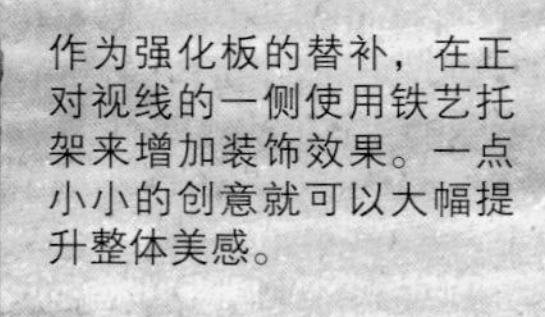

作为强化板的替补，在正对视线的一侧使用铁艺托架来增加装饰效果。一点小小的创意就可以大幅提升整体美感。

最后，在所有的螺丝头上涂上油漆，

完成!!

花和花器

早春风信子

点缀初春的晨色
成熟的风情

花卉图案的古典咖啡杯
除了饮用咖啡或茶以外，咖啡杯还可以当作花器。所以每逢看见中意的杯子，总会一件件买回家精心收藏。要把口径较宽的花器使用好并不容易，其实只要将风信子的花梗轻轻放在花器的口缘，便显得情趣十足。

说到风信子很多人会立刻联想到水培。每年冬季到来之前，我也会在玻璃瓶里盛水到瓶口，放上球根等待春季的到来。

不仅仅是水培，风信子搭配切花的花器同样十分精美。风信子有粉、紫、白、黄、橙等各色，其中我至爱柔粉色，因为它在甜美中别有一股成熟的冷澈。

搭配“婴儿粉色”风信子，我用的是一只法式古董咖啡杯，一眼看去以为是纯色的杯子，细看后会发现，在奶油色的杯身上雕刻着精致的凸凹花纹。

优雅细腻的奶油色，恰到好处地烘托出柔美粉色中暗藏的淡淡清冽，也许这就是早春的感觉。

为早春的寂寞花园增添一抹亮彩

用茂密的叶片装点出熠熠生辉的组合盆栽

为万木萧条的花园增添一抹色彩的组合种植。在绿叶较少的季节，如果只用花朵来装饰就会显得突兀，必须利用一定量的绿色植物，才能营造出生机勃勃的景色。下面我们使用几种不同的容器，示范适宜早春花园里的草花搭配方法。

Plants List

1. 羽衣甘蓝“皇家光子”
2. 角堇
3. 香雪球
4. 细裂银叶菊
5. 常青藤
6. 麦冬“黑龙”

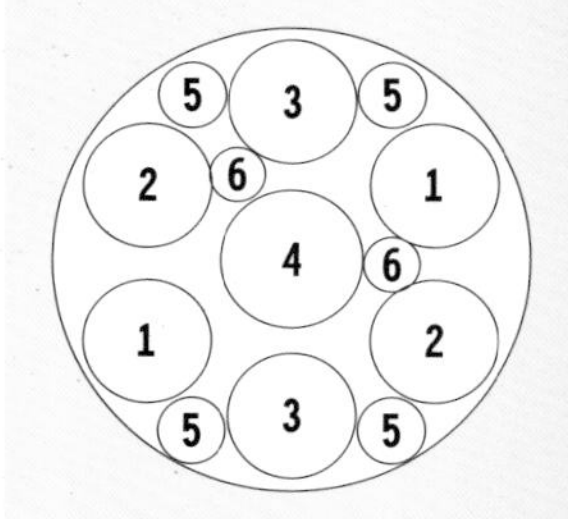

Highangle

Main Plant

角堇

＋

Supporting Plant

羽衣甘蓝“皇家光子”

充满生机的绿色搭配沉稳的花盆

在富有光泽的深绿色容器中，种植羽衣甘蓝“皇家光子”和有着天鹅绒质感的角堇，形成与深色花盆的完美搭配，再点缀几株色彩明快的香雪球和带有白色斑纹的常青藤，最后，利用“黑龙”麦冬聚拢整体观感。

Plants List

1. 角堇
2. 多头羽衣甘蓝
3. 马鞭草
4. 麝香木“银夜”（*Olearia argophylla*）
5. 千叶兰
6. 常青藤

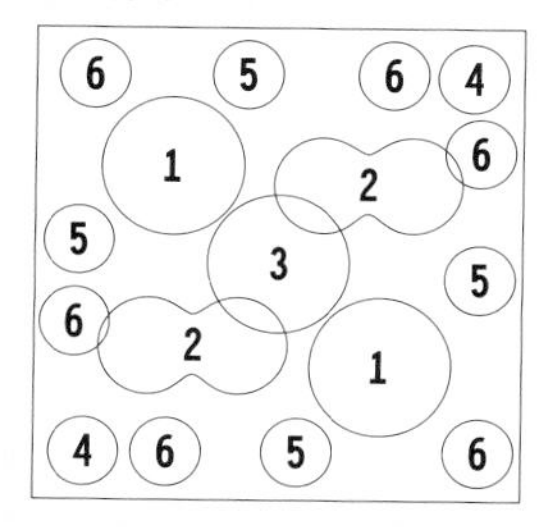

译注：麝香木是一种原产澳洲的银叶灌木，目前国内尚无种苗出售。可以用银叶石蚕或其他类似的银叶植物替代。

Highangle

Main Plant

角堇

＋

Supporting Plant

多头羽衣甘蓝

有着柔和色调的花卉组合与精致的花盆十分和谐

淡粉色和浅蓝色等色调明亮的小花被绿叶密密包裹，下部采用设计独特的釉质花盆，仿佛花束一般充满趣味。花盆中间澳洲马鞭草高挑灵动，而明亮秀美的千叶兰零星点缀四周，让画面轻快。

光泽美妙的釉质花器

根据釉质的色彩和设计不同，花盆能体现出各种各样的风情。釉质花器的光泽能把花与叶的质感统一起来，体现出整体的协调美。

充满天然情趣的花篮

用树木的枝条和根须编制而成的花篮，有着轻巧的特点。可以放在桌子和长椅等家具上作为装饰，体验插花般的乐趣。

Main Plant

仙客来

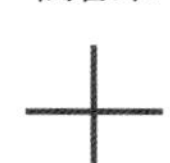

Supporting Plant

羽衣甘蓝

Plants List

1. 茵芋
2. 仙客来（白色）
3. 羽衣甘蓝
4. 麝香木
5. 常青藤
6. 麦冬“黑龙”

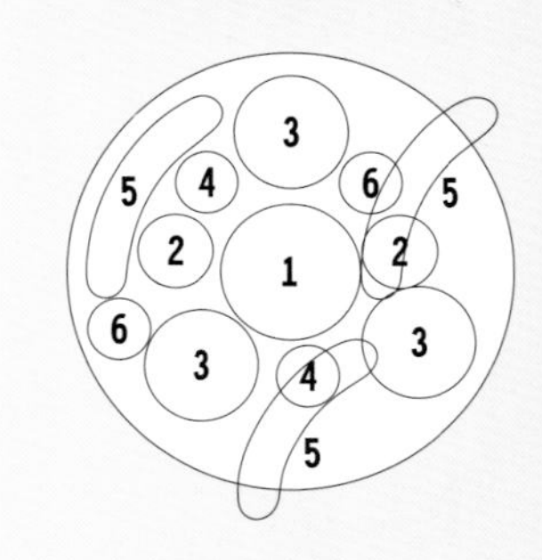

Highangle

清纯素净的白花和绿叶
仿佛要溢出般装满花篮

图例中使用了带有蜡烛台的藤编花篮。以茵芋为中心，周围种满白色花朵和银叶植物。黑麦冬将铁质的底座和植物巧妙地连接在一起，常青藤的蔓藤自然垂吊。放上蜡烛之后，花篮散发着古典气息。

Main Plant

羽衣甘蓝
“黑色卢西安”

Supporting Plant

报春花
“青提子果冻”

Plants List

1. 报春花“青提子果冻”
2. 角堇（白色）
3. 香雪球（*Alyssum maritimum*）
4. 羽衣甘蓝“黑色卢西安”
5. 细叶麝香木（*Olearia axillaris*）
6. 三叶草“巧克力”
7. 常青藤

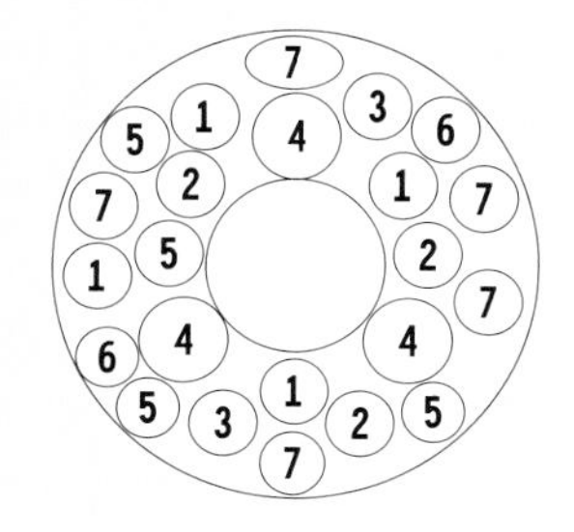

羽衣甘蓝如黑色玫瑰
搭配出魅力四射的花环

黑色的羽衣甘蓝“黑色卢西安”具有神秘的美感，搭配报春花“青提子果冻”和花色明快的角堇以及麝香木的银色叶片，组成一只绚丽又和谐的花环。这个装饰让花园焕然一新，格调鲜明。

质感浑厚的花器

色泽深重，质感浑厚的花器一般比较朴素，可以用来搭配任意植栽，使之沉稳而富于生机。

Main Plant

羽衣甘蓝

Supporting Plant

角堇

幽暗的色调
令花盆散发华美内蕴

以和容器有着相同质感的紫甘蓝为主角，铜色的叶片和夸张的株形与长条花盆浑然一体。在植株间种植的浅色小花清新秀丽，格外出挑。适合用于装饰绿叶茂盛的场所，能够造就丰富的层次感。

Plants List

1. 角堇
2. 香雪球
3. 龙面花“奶油冰淇淋”（*Nemesia strumosa*）
4. 铜叶金鱼草（*Antirrhinum majus*）
5. 紫甘蓝（*Brassica oleracea* var. *capitata*）
6. 羽衣甘蓝
7. 芙蓉菊（*Crossostephium chinense*）
8. 细叶麝香木
9. 常青藤

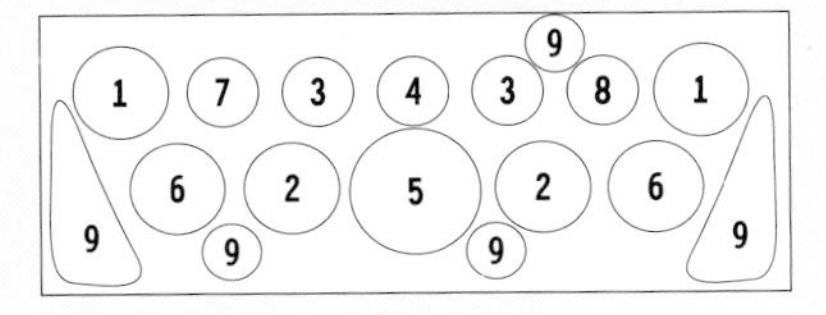

Highangle

Main Plant

圣诞玫瑰
“尼格尔”

Supporting Plant

矾根
“莱姆绿”

Highangle

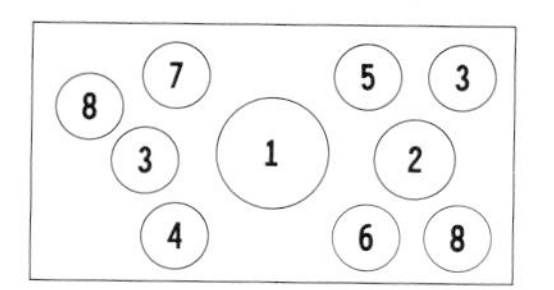

Plants List

1. 圣诞玫瑰“尼日尔”
2. 矾根“莱姆瑞奇”
3. 百脉根“硫黄粉”（*Lotus Hirsutus* ‘Brimstone’）
4. 金叶过路黄（*Lysimachia nummularia*）
5. 小冠花属
6. 三叶草“彩色尼禄”
7. 冬青卫矛（*Euonymus japonicus*）
8. 常青藤

纤细的绿植让花朵楚楚生怜

在夹杂金叶和花叶等色彩鲜艳的叶片组合中，闪耀着透明感十足的圣诞玫瑰。三叶草的黑叶呈现稳重的基调。带有图案的花盆略略生出青苔，和野生风情的植物完美搭配。

各种各样的常青藤

藤蔓柔长的常青藤卷曲在花盆的周围也十分漂亮，同时还有遮掩植株根部的效果。牵引的时候，利用弯成U形的铁丝就能很好地固定。

Column

使用常青藤来提升氛围

在组合盆栽里经常会使用到常青藤。市场上贩卖的常青藤苗，大多数都是5棵一起种植在3～4号（直径10cm左右）花盆里，移植的时候最好分成2棵一组种植，具体数量以适合植栽为宜。常青藤长好时，会给整个花盆带来轻盈的舞动感。常青藤有丰富多样的叶色变化，可以自由选择最能将主角花朵突显出来的品种。

Pick up Plants

人人都爱的王道植物

没有常青藤就没有园艺

小巧可爱的叶形和容易栽种的特性，这就是人见人爱的常青藤。轻盈地覆盖着地和墙面，盆栽也能展现出美妙的动感。实在是一种不可或缺的植物。下面，我们就来探索一下常青藤的超人气理由，以及利用常青藤打造的魅力景致

人人都爱常青藤的理由 从初学者到熟练者

从狭小的花园到大型庭院，以及各种公共场所，常青藤在所到之处都备受欢迎。锯齿形的叶片清新可爱，是园艺爱好者的必备款植物。

常青藤和八角金盘（*Fatsia japonica*）一样，同是五加科植物，原生地广泛分布于欧洲及亚洲。耐寒性、耐阴性俱佳。在园艺行业中被划分为常绿藤本灌木，一年四季无论寒暑，叶片的美丽风姿常在，是它的独特魅力之一。虽说是藤本，但它并非用触须缠绕攀缘，而是从节子处生根（气根），附着在攀缘对象上生长。因此，即使不在墙面上设置钢丝，枝条也能自行生长，营造野生的自然趣味。

常青藤现在已有超过500种的园艺品种。叶片的颜色、形状，花斑的形态，枝条的伸展方式等，都各具姿态。在挑选品种的时候，需要特别留意枝条的伸展方式。常青藤的基本伸展方式不是往下垂就是横向延伸，要搞清楚自己挑选的品种究竟是哪一种。当然，还有罕见地向上延伸的直立型，这种类型与另外两个类型有不同的种植方式。后文我们会对常青藤的品种进行详细介绍，请大家核对各个品种的特征，再去购买或栽种。

因为丰富多彩，所以百看不厌

常青藤的个性各种各样

常青藤的魅力之一是种类的丰富性。
在此分为形状、斑纹、伸展方式3个部分，
介绍各品种的不同之处。

新奇的形状为栽植添加变化

A. 叶缘呈波浪状的常青藤。波浪的大小虽然有所差别，但不论何者都给人华丽的印象。 B. 变种‘pretty mermaid’细长的叶片，整体都带褶皱。 C. 不带锯齿，如同爱心一般的圆叶。非常适合甜美风格的造景。 D. 一说起常青藤就会想到的品种，深锯齿的叶形。因为和其他叶片差异明显，在组合盆栽中也很受欢迎。 E. 乍看不像是常青藤的细叶品种，散发着轻柔气息。

斑

选择与四周相搭的色调信手拈来，百搭百灵

F. 淡淡的黄绿色叶片如同被喷雾器喷过，绿色向四处散开，让四周看起来更明亮。 G. 深绿色的叶片上浮现出白色叶脉，淡雅别致。 H. 经常见到叶缘有白斑的覆轮种，强健好养。 I. 绿叶上白色、黄绿色、蓝色混杂的斑驳类型。 J. 叶片上整体分散着绿色和黄绿色，并点缀着少许蓝绿色斑点，十分少见。

通过枝条不同的伸展方式可以控制人们的视觉方向

K. 枝条向上延伸的直立型。不会横向蔓延，推荐使用于需要制造紧密感或立体感的场所。 L. 枝条下垂，顶端卷起，被称为攀爬型。姿态轻盈飘逸，在组合盆栽中使用可以展现出美妙的动感。 M. 下垂的枝条直直地往下伸展。

攀爬、覆盖，跃动感！

使用常青藤的 13 个绝妙好点子 13

根据常青藤不同的种植场所，可将其分为“地植”和“容器种植”两大类，用实例照片来介绍。
文章最后，附有常青藤栽培的要点总结。

活用伸展性 地栽

若想用常青藤覆盖大片地面或墙面，推荐采用地栽方法。地植在土壤中，既可以茂密生长，又能轻盈地环绕庭院。此时，需要注意与其他园艺资材之间的协调性。

idea 1

用常青藤覆盖楼梯侧面 引导通向花园深处的大门

被藤本月季包围，散发着神秘气息的庭院入口。台阶的侧面常青藤青葱繁茂，仿佛是一条从脚下向上伸延的绿色甬道。

idea 2

添加在红砖小径旁 感觉更柔和

园路旁选择的是淡绿色的常青藤。伸展的枝条隐盖住红砖的边缘，红与绿相互交融，形成柔和的一景。

idea 3

种植在门柱和墙壁之间 起到连接两类材料的作用

在红砖门柱和石块墙壁的分界线上加入常青藤，既遮挡了交界处的缝隙，其左右两边伸展的枝条，又提升了统一感。叶片上的白斑更透出清新明亮的气息。

idea 4

大面积覆盖树木下方成为极富魅力的饰物背景

在玫瑰藤蔓下面栽植叶片较大的常青藤。小鸟澡盆和容器花盆，被烘托得仿佛悬在空中。

idea 5

与地被植物混合在一起形成张弛感

在草坪或景天科多肉植物蔓延的角落加入常青藤。质地不同的绿植使地面产生微妙差异。

idea 6

攀爬在大门前后起到连接空间的作用

让人感觉到时光流逝的老旧金属大门，和垂吊型的常青藤十分相称。同时，它还能担当起连接庭院内部和外部的职责。

idea 7

牵引到木质栅栏上富于古典气息

沧桑的木质栅栏因为常青藤的覆盖而完全改变了面貌。为了让深色的背景不过于阴暗，可选择具有白斑的或明亮的叶色。

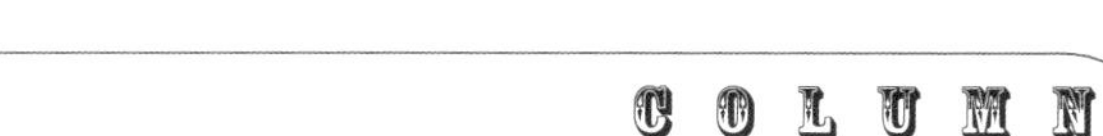

事前要核对攀爬的场所

常青藤的气根一旦缠上之后就不太好取下。强行剥落的话，根部会残留在上面。尽可能选择不需要剥除的地方或就算根部残留也无妨的场所。常青藤还会吸附在建筑接缝处的密封剂里，因此要多加注意。

强调灵动感的

盆栽

单独一株已经足够美观的常青藤，在容器里更有各种各样的展示方法，让人乐趣无穷。我们来看看单株和组合盆栽分别有什么好创意吧。

idea 8

种在老旧的喷壶里 让垂枝自由地飘荡

大胆地把斑叶常青藤种植在喷壶里。伸展的枝条缠绕在壶身上，曼妙多姿。

idea 9

活用优美的藤蔓 使空间更显清爽雅致

草帽形的容器，组合栽植常青藤和野草莓（*Fragaria vesca*）。常青藤的清爽感能够恰到好处地调和造型的甜腻，十分别致。

idea 10

在四方形的容器里 柔美的枝条画龙点睛

栽植了三色堇和香雪球的组合盆栽，四周加入常青藤，为细碎花朵的组合增添了动感，让四角形的容器的生硬感变得柔和起来。

idea 11

高低错落的配植 提高了视觉冲击力

左/在玄关前的台座上，放置一个种了常青藤的马口铁容器。垂下的枝条强调了纵向空间，干净简洁。 右/大型的烧壶里只种植常青藤，可以欣赏到藤蔓生长变化的乐趣。

idea 12

强调姿态的不同之处 能够突出自然感

羽衣甘蓝和鲁贝拉茵芋繁茂地挤在一起，常青藤下垂的枝条，打破了组合的形式感。以绿色和白色为主体，充满浓浓的野趣。

idea 13

使用秋季变红的叶片 展现成熟的魅力

活用常青藤的红叶现象，做成雅致的吊盆。选择淡红色调的角堇和三色堇，添入青铜色的观叶植物，调和了背景的颜色。

CHECK!!

抓住两个重点

常青藤的栽培管理小课程

常青藤是相对强健且好养的植物。不仅耐寒、耐阴，抗旱性也很强，因此浇水应等到土壤的表层干燥了之后再进行。理想的栽培环境是向阳处和明亮的背阴处，避免高温多湿。仲夏时期要修剪枝条，保持通风良好至关重要。

另外，常青藤常会受到蚜虫和灰霉病的侵袭。二者都是在气温上升的初夏至秋季出现，在这期间应经常仔细检查叶片及茎部的表面。

因闷热而落叶，基本上只剩下枝条。这时需要修剪枝条，注意不是把藤条按照一条直线剪掉，而是在分枝的地方像削薄头发一般错落地修剪。

POINT 1

为了避开高温多湿 修剪枝条 保持通风

覆盖地面及墙面的常青藤，很容易积郁湿气。再加上高温闷热，就会成为招致病虫害的原因。当感觉叶片拥挤混乱的时候，应当及时修剪枝条，改善通风。

蚜虫

1mm 左右的虫子，大多附着在茎部。无需使用专用的杀虫剂，用毛笔或牙刷直接掸掉即可。

灰霉病

叶片表面出现了灰色的霉点。放任不管的话，会渐渐扩散开来，因此只要看到，就应该立即把病叶摘掉。

POINT 2

观察叶片的表面及背面 对病虫害尽早采取措施

通风不好易招致蚜虫、叶螨，灰霉病、枯叶病、炭疽病等等。初夏过后，气温上升，要经常仔细观察。尽早发现病情并采取措施，以防止大面积的受害。

打造魅力花园必不可少的要素

铁线莲的搭配方法

铁线莲有着柔顺的藤蔓和生动自然的外形。根据品种不同，花朵能够营造的氛围也不同，给人留下千变万化的印象。这一期，我们针对适合花园种植的品种，为大家介绍铁线莲的搭配方法。

早花大花型铁线莲组

重瓣铁线莲“沃金美女”（Belle of Walking）的淡色花瓣重重叠叠，古色古香和月季“蓝色梦想”（Blue For You）、“保罗·博古斯”（Paul Bocuse）搭配得十分和谐。

早花大花型铁线莲

藤本月季“安吉拉”（Angela）的小花朵与大花铁线莲“鲁佩尔博士”（Doctor Rapperu）搭配，景色艳丽。

高山铁线莲组

玄关门前垂吊下来的是轮廓清晰的白色铁线莲“蒙大拿”（Montana）。由于生长旺盛，植株体积较大，不必与其他藤本植物搭配，单独种植也能够形成简洁壮观的美景。

意大利铁线莲组

在墙面摆放的篱笆上，牵引了藤本月季“芭蕾舞女”、英国玫瑰“玛丽罗斯”（Mary Rose）和铁线莲“玛戈科斯特”（Margot Koster）。两种甜美的粉色玫瑰衬托出铁线莲成熟的紫色。

西南铁线莲组

木棚门周围爬满了半钟蔓（*Clematis japonica*），朴素大方。充满野趣的株型攀缘于简洁的白墙上，娇小的花朵更显可爱。

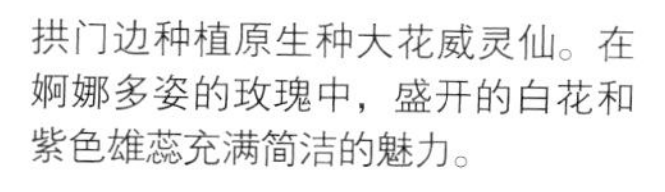

拱门边种植原生种大花威灵仙。在婀娜多姿的玫瑰中，盛开的白花和紫色雄蕊充满简洁的魅力。

弗罗里达组

全缘铁线莲组

DIY 建造的凉棚下牵引着半直立的铁线莲“阿拉贝拉”（Arabella），盛开时将棚架缠绕成一根缤纷的花柱，与藤本月季的小花蕾一起，把凉棚打扮得分外精致。

杰克曼尼（晚花大花型）组

牵引到窗边的藤本月季“芽衣”和铁线莲“蓝天使”。小的粉色玫瑰烘托出铁线莲飘逸的透明感，形成浪漫轻盈的氛围。

德克萨斯铁线莲组

以白栅栏为背景，白色的玫瑰和铁线莲“绝色”（Gravetye Beauty）形成鲜明对比。植栽控制得不会过分繁密，恰到好处地突显出铁线莲独特的花形。

将它们早日带回家吧！

根据颜色选择的20种推荐铁线莲！

铁线莲的品种千姿百态，花色更是丰富多彩。不同的颜色，营造出的氛围也迥然不同，即使同色花朵的不同花型也会给人迥异的印象。本文分别就各种花色来介绍铁线莲的品种，除了常见的早晚花品种，还特意收录了在冬天开花的品种。

●根据组别不同，采取不同的修剪方法

要想在春天欣赏到铁线莲美丽的花朵，栽培的关键在于修剪。修剪时间为开花后到发芽前的落叶期间。修剪方法分为【弱剪】和【强剪】，需要根据不同组别，采取不同的方法。如果修剪方法错误，则会出现来年开花减少的情况。

【弱剪】 针对在去年生长的枝条上开花的品种，也就是旧枝开花品种。修剪时保留枝条上的花芽，仅仅稍做整理，去除残枝和枯枝。四季开花的品种，在每次开完花后尽早修剪，促使再次开花。每隔几年应在梅雨前进行一次强剪，以利于植株更新		【强剪】 针对的是在新枝节段或顶端开花的品种。从距地面的2～3节处开始修剪。每次开花后强剪，30～50天后会再次开花。落叶期彻底修剪至底芽处
早花大花型铁线莲组 早开的中大型花朵。容易栽培，有丰富的花色和花形	高山铁线莲组 全株覆盖小型的花朵，有香味。注意此组不耐高温和多湿环境	杰克曼尼（晚花大花型）组 从5月中旬开始盛开的晚花中大型品种，与玫瑰开花期相同。植株强健，容易栽培
早花大花型重瓣铁线莲组 早开的中大型花朵。花瓣多且有着华丽的重瓣花朵。容易开花	常绿铁线莲组 钟形的小型花朵从秋天一直开到冬天。随着植株的生长，花朵数量也会增加	南欧铁线莲组 中小型的花朵集中开放。开花时间长，适宜栽于围栏边。植株强健，容易栽培
弗罗里达组 中型多花型。从春天到初夏、晚秋能够一直欣赏到花。特征明显的花形是其人气所在	卷须组 吊钟形的花朵从秋季开到春季。夏季落叶休眠。不耐寒	全缘铁线莲组 中小型花朵，半直立品种。植株十分强健，四季开花。适合用来作为切花

White 白色

与任何花色都能搭配的颜色。全株成片绽放也不会过分繁冗，格调高雅。

适宜搭配各种风格的花园

米库拉（Mikura）

杰克曼尼组		花径	10～13cm
性质	四季开花	株高	2～3m

白色的花瓣中有绿色和淡红色条纹，突显出深色的花蕊。枝条生长旺盛，开花十分壮观。同样适合盆栽种植。

和名字一样
白雪般盛开的花朵

雪花（Snowflake）

高山铁线莲组	
性质	一季开花
花径	4～6cm
株高	3～5m

4片花瓣中间有黄色的鲜艳花蕊，生长旺盛，大量开花。适合牵引种植在篱笆和拱门上。须注意其不耐高温、多湿，喜薄肥，是具有芳香的品种。

雄蕊个性独特的原生种

大花威灵仙（Florida）

弗罗里达组		花径	6～10cm
性质	四季开花	株高	2～3m

淡黄绿色花朵，绽放后期变成白色，雄蕊花瓣变成深紫色。在纤细的藤蔓枝节开花，花量多。适合盆栽和用作切花。

清新秀美的花朵大量盛开
营造出清凉氛围

小绿（Florida Alba Plena）

弗罗里达组		花径	6～10cm
性质	四季开花	株高	2～3m

淡绿色花朵，绽放后期变为白色。重叠的多瓣花，格调高雅。纤细的藤蔓容易伸长，在枝节上开花。容易与其他花朵搭配，是大花威灵仙的变异品种。

明亮的花色使其成为植栽的焦点

阿柳（Alionushka）

全缘铁线莲组		花径	5 ~ 6cm
性质	四季开花	株高	1 ~ 1.5m

半藤蔓型品种。紫中带粉的花朵。花瓣边缘呈波浪形，钟形花朵向下绽放，是全缘铁线莲组中花朵较大的品种，容易开花，给人华丽印象。适合盆栽种植。

Pink 粉色

令浪漫的花园格外出彩的花色。淡粉色营造出可爱的场景，深粉色则成为花园里夺目的明星。

铁线莲中十分稀有

引人注目的橙色系花朵

小美人鱼（Little Mermeid）

早花大花型		花径	10 ~ 13cm
性质	一季开花	株高	2.5 ~ 3m

橙色中带有红色的花朵，花蕊为明亮的黄色。单瓣或重瓣开放。植株强健，容易栽培。适合盆栽种植。

赋予花园动感的美丽二重奏

Q女士（I am lady Q）

南欧铁线莲组		花径	4 ~ 7cm
性质	四季开花	株高	2 ~ 3m

以淡粉色为底色的花瓣，由绿色渐变为深紫色。4瓣的花朵横向向下绽放。容易开花，植株强健，容易栽培。适合种植在篱笆和拱门上。

满溢般的开放

可爱的粉色小花

鹅妈妈（Wee Willie Winkie）

高山铁线莲组		花径	4 ~ 5cm
性质	一季开花	株高	3 ~ 5m

以白色为底色的花瓣中带有层次丰富的粉色。随着植株生长会大量开花，花量壮观。喜薄肥，需要在光照充足的地方种植。

大方的花形有着成熟美

罗莎克尼格辛（Rosa Konigskind）

波浪形的花瓣令人印象深刻。柔粉色中生有着茶色花蕊。在新枝枝节开花，也能二次开花。适合盆栽种植。

早花大花型	
性质	四季开花
花径	10 ~ 13cm
株高	1 ~ 1.5m

具有透明感的花瓣

给花园增添清爽的色彩

巴伦夫人（Madame Baron Veillard）

花朵精致，淡粉色的花色十分容易与其他花色搭配。新枝条上长出的侧枝也会开出大量的花朵。植株强健，容易栽培，是晚花大花型中最晚开花的品种。

杰克曼尼组	
性质	一季开花
花径	10 ~ 13cm
株高	1.5 ~ 2.5m

Purple 紫色

只需一棵就能令花园大放异彩。深紫色能打造出引人注目的精致氛围。若要营造清爽感觉，则推荐淡紫色。

即使在酷热的夏天也能如期开花

银禧珍妮（Jubilee Jenny 70）

纤细的紫红色花瓣中带有深紫色的条纹。即使盛夏也开花，并能够长时间欣赏，是适合覆盖整个墙面的开花植物。植株强健，容易栽培，也能盆栽种植。

杰克曼尼组	
性质	四季开花
花径	10 ~ 13cm
株高	2 ~ 3m

色彩变化加上迷人的花形，使其大受欢迎

沃金美人（Belle of Walking）

随着开花时间不同，花色会由淡粉色变化为淡紫色。花朵蓬松可爱。开花性良好，能够长期享受赏花的乐趣，是适合种植在避风处的人气品种。

早花大花型重瓣纟	
性质	一季开花
花径	12 ~ 15cr
株高	1.5 ~ 2.5r

楚楚动人的铃铛花形充满了成熟的气质

如古（笼口）（Rooguchi）

全缘铁线莲组		花径	4 ~ 6cm
性质	四季开花	株高	1.5 ~ 2m

半钟形的深紫色花朵向下绽放。植株强健，容易栽培，在炎热的夏季也能开花。生长旺盛，攀缘性良好，侧枝能不断开出花朵。需注意预防白粉病。

花瓣凋谢后，残留的雄蕊如绒球般有趣

多蓝（Multi Blue）

早花大花型重瓣组		花径	12 ~ 15cm
性质	一季开花	株高	1.5 ~ 2.5m

大丽菊般的深紫色花朵，针状雄蕊给人漂亮印象。容易开花，即使侧枝也能开花。植株强健，容易栽培。在不同的生长条件下，有时也会开出单瓣花。

鲜艳的花色使其成为花中主角

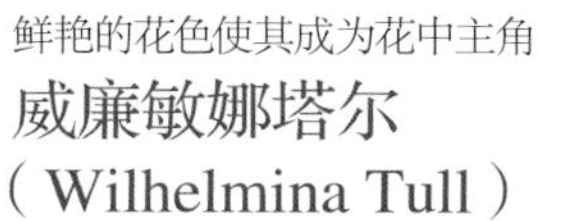

威廉敏娜塔尔（Wilhelmina Tull）

早花大花型		花径	12 ~ 15cm
性质	一季开花	株高	1.5 ~ 2.5m

深紫色花瓣中间有红紫色条纹。整齐的花形与淡黄色花蕊形成美丽的对比。植株强健，容易栽培，开花性良好。适合盆栽种植。

雅的紫色为花园增添光彩

紫子丸（Shishimaru）

弗罗里达组		花径	8 ~ 12cm
性质	四季开花	株高	2 ~ 3m

色良好的紫色花朵，从中间部分开始依次放，使花园充满华丽的感觉。从下至上绽，在枝条顶端重复开花。开花性良好，植强健，容易种植。

着螺旋桨状花形的奇特花朵

福之鸟（Sizaia ptitsa）

全缘铁线莲组		花径	8 ~ 13cm
质	四季开花	株高	1.5 ~ 2.5m

藤蔓型品种。花瓣呈纤细的青紫色卷曲状，蕊略带红色。在全缘铁线莲组中属于大花品种，容易开花。植株强健，容易种植。

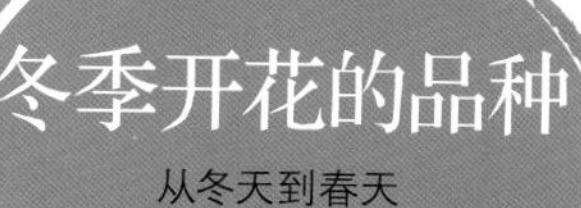

冬季开花的品种

从冬天到春天
开出可爱的钟形花朵。
即使在
万物凋零的时候，
也能照亮寂寞的花园。

圣诞玫瑰般
惹人怜爱的花朵

威仕立奶油（Wisley Cream）

卷须型组	
性质	一季开花
花径	3 ~ 4cm
株高	2 ~ 3m

杯形的淡奶油色花瓣纤细柔美。开花性良好，容易种植。夏天落叶进入休眠期，待到秋天会再次发芽开花。耐寒性较弱，北方地区不宜户外过冬。

稀有的艳黄色冬花品种

黄毛铁线莲（Clematis grewiiflora）

原生杂交种		花径	1.5 ~ 3cm
性质	一季开花	株高	2 ~ 3m

钟形黄色花朵惹人怜爱。花苞、花瓣和叶片都覆有细毛。开花性良好，冬季也会留有叶片。耐寒性较弱，也不耐闷热。

新品种
大有人气的钟形花

冬铃（Winter Bell）

原生杂交种		花径	3 ~ 4cm
性质	一季开花	株高	3 ~ 4m

向外卷曲的奶油色钟形花朵。整年不落叶，开花性良好，生长旺盛，需要较大的种植空间。耐寒性较弱，寒冷地区不宜露天过冬。

极具魅力的家居饰品

大盆圣诞玫瑰在早春的花园里倾情上演，大放异彩

花姿是圣诞玫瑰独有的美丽
富有透明感的妩媚

玫瑰、铁线莲和圣诞玫瑰被称为英国花园的三大人气花卉，而随着玫瑰和铁线莲的不断升温，国内众多资深园艺爱好者也把目光投向了圣诞玫瑰。在少花的冬季至早春时节，长时间绽放、楚楚动人的姿态和丰富多彩的花色是它备受关注的原因。除此之外，“容易种植”的特点更是它的魅力所在。即使放置不管，圣诞玫瑰也能顺利开花，如果稍加关照，则更能培养成壮观的大株盆栽。

将圣诞玫瑰种植在精心挑选的容器中，可以随心所欲地装饰任何场所，为寂寞的早春花园添上一抹华美光彩。

在冬日温暖的阳光照射下，圣诞玫瑰绽放出大量饱满的花朵。用椅子垫高盆栽，衬托柔和的花色，令人注目。

花序从每个芽点中央长出，一般都是多花。
成株的圣诞玫瑰有较多的芽点，每个成熟的芽点都会长出多片掌状的叶片。
植株下部是密集的
种过铁线莲的朋
会发现，无论颜
形态，圣诞玫瑰
和铁线莲都非常

专访国内园艺达人 Happyjeep

如何种好圣诞玫瑰

Happyjeep，男，现住四川成都，是一位充满科研精神，又不失玩家童心的园艺达人。喜欢宿根植物，圣诞玫瑰、百子莲、朱顶红……是国内专业种植和销售圣诞玫瑰第一人。

圣诞玫瑰是什么样的一种花？

圣诞玫瑰泛指毛茛科圣诞玫瑰属的宿根植物，是欧洲传统的冬季和春季耐寒观花植物。由于其在少花的寒冷天气中盛开，且花型变化多端，花色丰富，因此受到广泛的喜爱。之前国内引种较少，目前陆续有一些引种。

圣诞玫瑰和铁筷子是什么关系呀？

圣诞玫瑰属的植物主要分布在欧洲，大约25种，由于其著名的一些种类在圣诞节前后开花，所以称为圣诞玫瑰。这个属的植物中国只有一种 Franch *H. thibetanus*，名为铁筷子。因此国内也有称呼这个属为铁筷子属。

你最喜欢的圣诞玫瑰是哪一种？

好像没有特别喜欢的一种。每种都很喜欢，每种都非常美丽。如果非要选择的话，应该是最爱白色的重瓣。

单瓣型

重瓣型

银莲花型

怎么种好我的圣诞玫瑰呢？

我是在成都种植圣诞玫瑰，Z9/H5 区气候，也有一些花友在国内各个区域种植该属的植物。从我自己和大家交流的情况来看，除了广东、海南这些特别炎热的地区，圣诞玫瑰表现都比较好，我感觉是很好种，基本不需要太多的照顾。要种好圣诞玫瑰属植物，我觉得只要注意好两点。第一，夏季务必遮阴；第二，所有的时间里，保持基质湿润不积水。只要做好这两点，圣诞玫瑰就会和其他强健植物一样，每年如期开花，且花丛越长越大。

我家适合种植圣诞玫瑰吗？

封闭式阳台和其他通风不良的场所不适合种植圣诞玫瑰。除此之外，圣诞玫瑰适合各种家庭种植，可以种在开放式阳台、花台、院子、花盆等各种地方。当然种植位置要能够保证夏季没有阳光直晒，这点是最重要的。盆栽是很好的方式，如果花园、花台不能保证夏季遮阴，也可以将其种入花盆中，放置在阴处度夏，其他季节连盆埋在花园、花台里。

播种发芽后半年的植株，只有几片叶片，一般只有一个芽点。

生长一年多的植株。植株明显增大很多，且有多个芽点。

生长接近两年的植株。生长最快的品种这个时候已经能够开花了。植株在1加仑盆中根系可以发展为密集的根团。

3年以上的植株。这是修剪过老叶的植株，如果不修剪会有很多密密的叶片，开满花朵。需要较大容器。

Spring 春季

从冬末开始是圣诞玫瑰的盛花期。要想花开得好，速效肥、浇水一定要跟上！

圣诞玫瑰种子刚萌发的样子，有些种皮还挂在叶片上。两片子叶，真叶还没有长出来。

在中国的大部分地区，从冰雪还未完全结束，其他植物还未发芽的早春开始，就迎来了圣诞玫瑰大量开花的时节。圣诞玫瑰在开花季节，基本可以不考虑遮阳，需要特别注意的是浇水。花期需要大量的水分，花朵才能开得饱满漂亮。施肥请使用高磷的速效肥（例如花多多 2 号），叶面喷施；花后请立刻补充均衡缓释肥料。这个期间基本无病虫害，无需喷药。

随着春季的慢慢过去，如果不希望留种子，请及时剪掉整个花葶，以免结种子引起大量养分消耗。春季植株也能生长出较多新叶，可酌情修剪老叶，使植株叶片不要太过密集。

春季完成授粉和准备留种的种荚，会在花瓣脱落后，慢慢膨大。去年秋季或冬季播种的圣诞玫瑰种子，在春末已经能长成有两片真叶以上的小苗了，如果是在育苗盘或密集播种的小苗，可以进行第一次上盆工作。使用 10cm 左右的小盆上盆即可。如果稀疏种植在较深盆中的小苗，可以等秋季再单株上盆。

春末或花期结束后，是一个分株的窗口时间。花期后分株可以明确地确认品种，也有较多的生长时间，第二年一般能复花。特别需要注意的是分株完成后应该及时上盆，切勿使根系干透。

Summer 夏季

半休眠的季节，必须坚决遮阴和保持基质湿润！

夏季是圣诞玫瑰种子成熟和处于半休眠状态的季节。当中午的太阳已经让人感受到较强的热量时，必须立刻解决圣诞玫瑰遮阴的问题。将其移动到直晒不到阳光的位置，或者架设 75% 遮光度的遮阳网，这些都是种植圣诞玫瑰必须做的工作。从实际种植情况来看，圣诞玫瑰并不很怕高温，但即使夏季短时间的阳光直晒对圣诞玫瑰也是致命的！与遮阴同样重要的还有两项，浇水和杀菌。虽然是半休眠期，圣诞玫瑰也不能忍受基质干透，不过浇水的力度，应该是低于春季的；在夏季多雨潮湿的时候，利用天晴时间喷洒杀菌剂，避免病菌危害。最热季节，避免施用肥料。

观察植株，修剪掉太过密集的部分，使其通风透气，可以避免病害的产生。如有发生病变的叶片，应及时修剪掉。

种子在夏季开始成熟，成熟前最好套上种子袋，一旦发现有部分种子脱落，请立刻将整个种荚连花柄一起剪掉，并妥善保存好种子。需要特别提醒的是，圣诞玫瑰种子有一定毒性，不要拿在手上把玩，也不要食用！存放和采收时，特别要注意小孩！

夏季完全不适宜进行分株工作，需照顾好春季花期后分株的小苗。

换盆操作过程

1 准备好上盆的基质。

2 先在盆中加入少量基质后，施放底肥。

3 把种植圣诞玫瑰的营养钵放入盆中。

4 在营养钵周围加入基质，并轻微压紧。

5 抽出营养钵，将植株从营养钵中取出，并小心放入盆中，压紧基质。

6 覆盖，浇透水，上盆完毕。

Autumn

秋季

重新开始生长，修剪老叶、施长效缓释肥！

熬过艰难的酷暑，到秋季圣诞玫瑰又会明显恢复生长，新的嫩叶从植株中心开始冒出，少部分长得着急的植株甚至可能在中秋节前后开出花朵。顺应植株的生长，施用均衡速效肥，补充骨粉、长效均衡缓释肥等肥料，促进生长和为开花做准备。杀菌根据植株情况酌情进行。北方地区冬季较干，所以秋末要在上冻前浇好水。许多地方秋季初期阳光仍然强烈，不要过于着急去掉遮阴措施和把圣诞玫瑰摆放到阳光直晒位置。

秋季，我一般会剪掉植株生长外圈已经略显倒伏的粗硬老叶。

夏季采收的种子，秋季可以播种了。圣诞玫瑰播种方法很简单，和一般宿根植物的播种方法没有区别。根据品种的不同，最快可以在秋末发芽，最慢要在第二年春天萌发，请耐心等待。新鲜种子发芽率能够充分保证，一般70%萌发率毫无压力。春天未上盆的播种苗，这个季节可以单株上盆了。二年生的小苗，可以在这个季节换大一号的盆种植。

秋季前期和中期，是分株的好时机。注意事项同春季花后分株。不要在秋末初冬再进行分株工作。

Winter

冬季

接受足够的阳光，不要缺水！

和大部分植物不同，圣诞玫瑰在冬季国内大部分地区可继续生长。部分品种在圣诞节前后陆续开花，是少有的冬季开花植物，所以被称为圣诞玫瑰。冬季圣诞玫瑰完全可以享受全日照。初冬即可去掉所有遮阴措施。

有部分种植者，在冬季会剪掉所有的叶片。这样做是为了减少病害和便于春季欣赏花朵。我个人一般不过多修剪，未发现特别明显差异。

秋季播种的种子，陆续开始发芽，在寒冬中小芽冒出，会让人感受到圣诞玫瑰生命力的强大！千万不要以为没发芽的种子就不行了哦，不少种子要到春季才萌发。

冬季不进行分株工作。秋季的分株苗可能需要关注，原株的老叶可以完全剪掉了。

如何在大花盆里种出壮观的植株

从 11 月中旬花芽开始萌动到 5 月上旬花芽分化，是圣诞玫瑰的生长时期。在这期间栽培管理的好坏是成功的关键。

11月中旬～5月份

Technique1 施肥

对培养成为大棵植物非常重要！！

植物从根部开始吸收营养，施肥时应该将颗粒状的肥料沿着花盆的边缘加入到泥土中。施肥量根据花盆的大小和肥料的不同酌情把握。

圣诞玫瑰的生长周期可分为 3 个阶段：深秋到花蕾萌发为“花芽孕蕾期”，花朵开放到凋落则称为“花期”，花谢后到来年 5 月是花芽分化的“生长期”。对于各个生长阶段的植株来说，补充各种不同的养分至关重要。

推荐的肥料

■花芽孕蕾期

选择磷钾成分高的肥料。

从植物和矿物质中提取的天然肥料，或是能够同时满足花朵和叶片生长要求的磷酸。天然肥料：骨粉合成缓释肥料，参考比例N：P：K：=0：6：4。

■花期

选择氮磷钾成分均衡的开花期肥料。

开花期使用专为培养强壮多花植株的开花期肥料，花谢后使用常规肥料。

天然肥料：牛粪肥 + 骨粉

合成缓释肥料：肥效持久 1 ～ 2 个月的开花期肥料，参考比例N：P：K：=6：9：8。

■生长期

选择氮磷钾成分均衡的生长期肥料。

含有维生素和矿物质的天然肥料能够提高植物的吸收率，增强植物的抵抗力，促进植株快速强壮生长。天然肥料：饼肥 + 粪肥，合成缓释肥料：肥效持久 1 ～ 2 个月的肥料，花谢后和秋季恢复生长后各使用一次。参考比例N：P：K：=5：6：4。

施肥的时机要因时而异

[花芽孕蕾期]

花芽充实的时期，需要施 2 次左右的磷酸液肥，以促进开花。

[花期～生长期]

植物储存生长和开花所需养分的重要时期，每隔 2 个月放置一次缓释肥。圣诞玫瑰夏季休眠，所以在春季推荐使用 1 ～ 2 个月的短效性肥料。另外，从花谢后到花芽分化的 4 ～ 5 月份，需要每隔 10 天至 2 周额外加施一次液体肥。这样定期的施肥会促进植株长势，增加花蕾数量。

12月上旬

Technique2 修剪枝叶

充足的阳光能促进花蕾发育

圣诞玫瑰的植株为了使根部接受阳光照射，促进花蕾生长，春天萌发的老叶片到了初冬就开始出现倒伏现象。这时，最好剪掉这些倒伏的叶片。从叶茎根部开始，保留 2cm 左右的长度修剪。修剪得当，就能开出壮观的花朵。如果花园里有多株植物，特别要注意每修剪一株要更换一次剪刀，或者将刀刃放在火上烘烤消毒，以防止相互间切口处的细菌传染。

从春天开始生长的老叶片，应将叶柄剪至剩下 2cm 的高度。

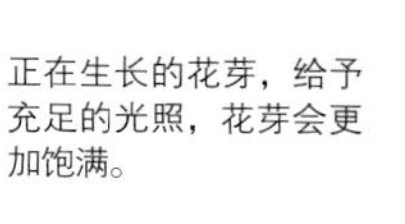

正在生长的花芽，给予充足的光照，花芽会更加饱满。

3月

Technique 3 摘除子房和花柄

减轻植株生长的负担

开花后，花朵中央的子房会像气球一样膨胀，并在其中结出种子。结种子会给植株带来生长负担，需要尽早摘除子房，这样就能长时间欣赏残留的花萼。花柄摘除太晚会影响新芽的生长，特别是对5月份的花芽分化不利。为了使来年的花开得更好，3月下旬左右就应从根部剪掉花柄。

摘除子房/3月上旬

开花后，花朵中央的花蕊会变大。如果不摘除，便会如气球一样膨胀。

尽早摘除子房就不会结出种子，并能长时间的欣赏花朵。

剪除花柄/3月下旬

中间的花朵凋谢之后只剩下花柄，应尽早将花柄用剪刀剪到剩下1～2cm的程度。

3月下旬～4月

Technique 4 换盆移栽

对培养成为大棵植物非常重要！！

定期换盆移植

由于植株的根系会长满花盆，所以在摘除花柄的同时可以进行移盆。在这期间换盆能促使根系生长和新芽生发。推荐每隔2～3年换一次盆。换到2～3圈大的花盆里后，大约3年左右就可以欣赏到完美状态的盆栽（爆盆）。为了达到爆盆的效果，应在开花后再进行移植。在新的花盆里加入排水性和保水性良好的泥土，并掺入有机肥。如果无法替换成更大号花盆，可以将根系松散开抖落旧土，然后在原来的花盆里使用新的泥土种植。

换盆的时机

让我们来看看一株完美的圣诞玫瑰的生长过程。2001年将3号盆（9cm）的花苗移植到4.5号（13.5cm）盆里种植。2004年种在10号盆（30cm），2007年移到15号盆（45cm），在培育了10年后的2011年，迎来了整个花盆爆盆的效果。

2004年

2年间从2004年的4.5号盆替换到10号盆。生长旺盛，茁壮饱满的大棵植株。

2007年 爆盆！

移植到10号盆后的第3年迎来了爆盆状态。仿佛从花盆里满溢出的绿叶是植株生机勃勃的象征。

3年后从10号盆又移植到了更深的15号盆。选择适合植株生长的花盆，开花的数量也增加了许多。

2010年

2011年 爆盆！

在使用大花盆后的第4年达到了完美爆盆的效果。开花的枝条数达到55枝。在这之后将植株分株，继续种植在原来的花盆里。

*Column 专栏

让原种系的植株也成长为强壮的大棵植物！

圣诞玫瑰主要分为原种系和原种交配培育出来的园艺系。相比华美的园艺系，原种系有着楚楚动人的花形和娇嫩纤细的姿态，常常被认为很难培育。其实，除了原产中国的铁筷子，大多数原生系品种还是非常强健的。种类不同，生长速度也各有差异。慢慢琢磨各种原生系的生长规律，同样也能培育出爆盆效果的花姿。

亚洲圣诞玫瑰(*Helleborus dumetorum*)杂交种

镶边圣诞玫瑰（*Helleborus torquatus*）杂交种

杂木花园的建议

大自然，来到庭院中

在数量众多的园艺树木之中，为庭院增加自然美并且贡献最大的堪属「杂木」。杂木长期以来一直自生在山林中，栽培容易，近年来作为时尚的花园素材而备受关注。早春正是栽种树木的好时机，我们就来学习一些关于花园杂木的知识，通过合理规划，把大自然也请入自己的花园中吧！

根据树型来区分
杂木的两大种类

type A {类似的树木}枫树和日本紫茶

在微风中招展枝叶 姿态轻盈的杂木

树叶较薄，茂密程度也恰到好处，枝条之间相对松散。和风吹拂，枝叶摇曳发出沙沙的声响，为庭院增添诗情画意。

type B {类似的树木}枫树和击杀罗

较厚的叶片 具有存在感的杂木

具有厚度的树叶茂密繁盛，整体给人厚重的感觉。常绿树木叶片厚实，保存水分，也属于这一类。

你我身边常见的杂木树 为花园带来自然的风景

树木中被归为杂木的，通常都是用作烧柴和烧炭的品种。从它的名称“杂木”看，就是“没有什么大用途的树木”的意思。一般来讲，杂木树干较细，容易弯曲，萌芽力旺盛且容易分枝，虽难以作为建筑材料使用，却恰好使之成为造园的好素材。

描绘出曲线的枝条与草花性格外协调，旺盛的萌芽力可以造就饱满的株形，杂木让庭院整体的自然度得到很大提升。杂木多数是落叶树，秋季结出迷人的果实。从春日萌芽到深秋红叶，叶色变换不停，果实吸引野生鸟类，为庭院带来四季变化的不同风情。

最近从国外引进的杂木种类大大增加，可以选择的杂木品种也越来越多，在下文中我们将根据树型分成两大类，介绍现在被园艺师们关注的杂木品种。

分成两大类来活用
杂木配置的 5 大手法

可以根据树型把杂木分为 A、B 两类，利用它们给人的不同印象来进行配置。在此我们就来看看活用杂木的 5 个好方法。

method 1

花园中央栽植与周围搭配协调的树木

庭院中央是从任何角度都可以眺望到的方位，应该选择和地面草丛及其他树木具有整体感的 A 型杂木。

method 2

空落的角落利用枝叶密集的树木来覆盖

B

植栽较少，容易显得空落的花园一角。分量感十足的 B 型杂木，能够把空间充分的填充起来。

method 3

有限的空间里，存在感的强弱起到决定性作用

B

在玄关或是房屋旁边，不能种植大量树木的地方，应该选择 B 型杂木。即使栽种一株也足以演绎出动感。

method 4

两种类型混合种植，保持庭院的整体均衡

A&B

如果在庭院里只选择一种类型，就会给人单调的印象。A、B 两种类型交替种植，效果加倍出色。

method 5

希望有斑驳日影的地方，选择树叶密度较低的类型

木甲板、桌椅的附近等，希望有部分光线照射下来的场所，选择 A 类型就可以得到舒适的树荫。

实例图片来证明

人气 & 容易栽培的树种分类说明

自然派杂木的迷你图鉴

了解到杂木的魅力后，就可以立刻放手寻找自己喜好的品种。
根据庭院、建筑物和花园家具的风格，来做一个想象设计吧！

给予庭院动态美的 typeA

A类型的杂木，有着轻盈的姿态，十分容易与周围景物搭配。从树叶间漏下的阳光，随风轻拂的叶片，带给庭院优雅的风情。

庭院中央种植大柄冬青，经过适当的修剪，成为美丽的标志性树木。从树干之间可以看到后面的风景，颇具纵深美。

纤细的枝条演绎出清爽的动感

大柄冬青

冬青科冬青属落叶乔木。
适合的环境：向阳处 / 肥沃的土壤

薄薄的表皮剥落后，会露出里面青色的内皮层。纤细柔美的树型，带来清凉之意。初夏开放白色小花。雌雄异株，雌株在秋天会结出红色小果实。

生机勃勃的枝条，为玄关门口增添了明朗的情调，树下种植的白色绣球，很好地协调了上下关系。

修长的树姿极具魅力

垂丝卫矛

卫矛科落叶灌木
适合的环境：向阳处和半阴处 / 排水良好的土壤

纤细的树干弯曲延伸，树型朴实无华。品种名来自它夏季开放的吊灯形小花。秋季果实开裂，可以看见里面红色的种子。

在小径旁边投下美好绿荫的垂丝卫矛，脚下配以矮树、叶形美观的宿根草以及小饰物，和如阳伞般张开的树梢相得益彰。

果实的收获令人欣喜

加拿大唐棣 / 六月莓

蔷薇科落叶灌木
适合的环境：向阳处 / 排水良好的土壤

六月莓春季开放白花，初夏结果，秋季有红叶和落叶欣赏，每个季节都有乐趣。几乎不需要修剪，照管十分方便。原产北美洲，最近作为杂木在世界范围得到了园艺师们的亲睐。

园路拐弯处种植的青栲在白色铺路石上投下倩美的树影。树冠郁郁葱葱，为园路带来了开阔的感觉。

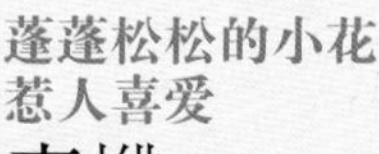

蓬蓬松松的小花惹人喜爱

青栲

木犀科落叶乔木
适合的环境：向阳处/排水良好的土壤

春季开放大量白色小花，修长直立的树干上包裹着细致的表皮，喜好全日照，但在半阴处也可以生长良好。

园路和住宅之间种植日本紫茶，上方树冠生长但不会向四方扩展，对于狭小空间而言是非常珍贵的树种。树叶和树干的对比也很美丽。

清秀的白花雅致动人

日本紫茶

茶科落叶乔木
适合的环境：半阴处/排水良好的土壤

初夏开放茶花般的5瓣白花，苗条的树型适合小型花园。不能耐受夏季的强烈日照和干燥环境，盛夏应在树下铺上覆盖物保护根系。

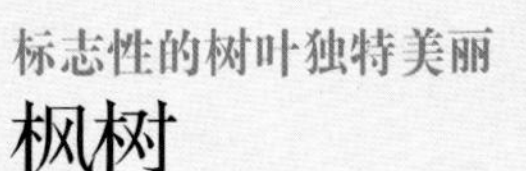

标志性的树叶独特美丽

枫树

枫科落叶小乔木
适合的环境：向阳~半阴处/排水良好的土壤

树叶呈著名的鸡爪形，秋季变成美丽的红叶。种类繁多，叶色变化多端。树型很美，修剪在休眠期进行。非常适合和风庭院。

比木花架还高的树枝长势旺盛，给庭院宽阔的感觉。旁边的紫叶小檗用稳重的色调统一了整体。

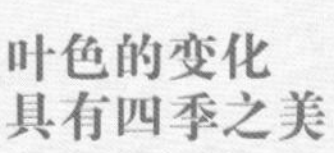

叶色的变化具有四季之美

鹅耳枥

桦木科落叶乔木
适合的环境：向阳处/排水良好的土壤

从红色的新芽到碧绿的树叶，再到秋日的黄叶，一年之中树叶的变化充满魅力。下垂的果穗好像璎珞，非常美丽。生长快速，需要及时修剪。

作为宿根草和一年生植物的种植背景，枫树的叶片和下方老鼠簕的（*Acanthus*）塔形花序实现了极好的连贯性。

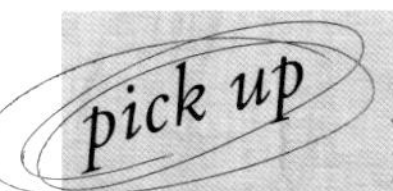

pick up 适合欧风花园的枫树品种 团扇叶枫

如果觉得枫树的和风过分浓烈，可以考虑这种团扇叶枫。刻裂不是十分明显，与西式风景更为协调。

小叶青冈用于树篱，成为玄关处的遮挡物。从玄关的圆形门洞中看出去，一年四季都清新秀丽。

给予庭院安定感

type B

稳重坚实的杂木。枝叶繁茂，种植一株就可以演绎出印象深刻的风景。这种树型也适合用于遮挡某些不雅之处。

下垂的小铃铛花
娇美可爱

安息香、野茉莉

野茉莉科落叶小乔木
适合的环境：向阳处/排水良好的土壤

初夏开放大量白色小花，也有粉红品种。下垂开放的铃铛花从下方看上去，非常讨人喜欢。不耐干燥，在树下应该种植小草或覆盖保护根部。

粉色安息香树是前庭花园的主角。暗褐的树干和外墙、柔美的花色和石质装饰协调搭配，浑然一体。

枝叶茂密可以用于屏风

小叶青冈

壳斗科栎属常绿乔木
适合的环境：半阴处/排水良好的土壤

枝叶茂密，可以用于树篱的杂木。萌发力强，即使放任不管也会不断长高，应经常修剪保持合理高度。栎属植物，秋天会结出橡果般的果实。

住宅前的小型植栽空间里种植了有存在感的光蜡树。明亮的蜡质树叶光洁美丽，与左侧的月季十分搭配。

油亮泛光的树叶深具人气

光蜡树

木犀科常绿乔木
适合的环境：向阳处/排水良好的土壤

具有蜡光的树叶繁茂旺盛，应及时修剪。初夏开放白花，清新动人。原产中国台湾，最近作为园林杂木深受欢迎。

株型紧凑，易于管理
具柄冬青

冬青科常绿乔木
适合的环境：向阳处/排水良好的土壤

横向伸展幅度较小，适合狭小的空间。初夏开白色小花，秋季雌株结红色果实。全年都有很高的观赏价值。修剪时只需要剪去多余枝条即可。

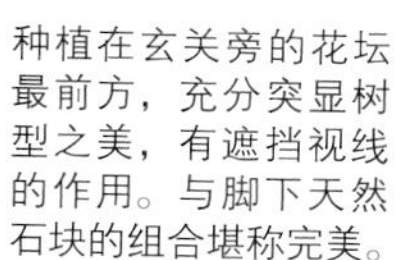

种植在玄关旁的花坛最前方，充分突显树型之美，有遮挡视线的作用。与脚下天然石块的组合堪称完美。

为了遮挡穿过篱笆的视线，把具柄冬青种植在庭院的角落。白色砖块让浓绿的树叶更显明亮。

作为标志树大受欢迎
四照花

山茱萸科落叶乔木
适合的环境：向阳处/排水良好的土壤

人气品种，初夏开白色花朵，秋日的红叶也十分美丽。花朵向上开放，即使放任不管株型也不会散乱。修剪时只需剪去枯枝和向下长的枝条即可。

pick up

保持杂木的自然姿态 常绿的四照花引人注目

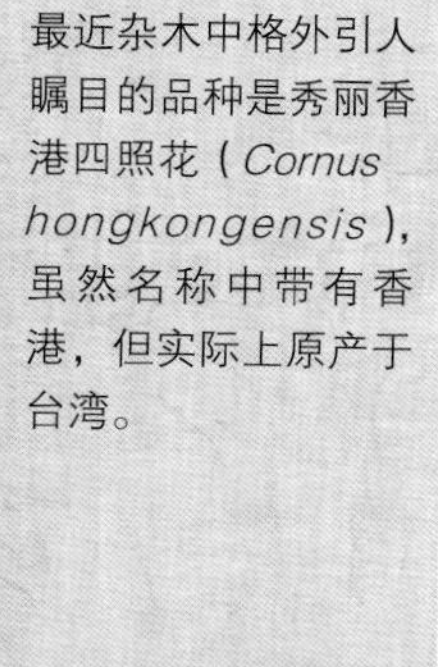

最近杂木中格外引人瞩目的品种是秀丽香港四照花（*Cornus hongkongensis*），虽然名称中带有香港，但实际上原产于台湾。

花期比普通四照花晚，夏季开花。在少花季节，白色的花朵让庭院立刻明亮起来。

把四照花种植在大型容器中，在没有土壤的地方也可以成为漂亮的标志树。内侧配置一株较小的橄榄树，让入口处更有安定感。

现在就是栽种的好时候！

充分体现杂木的优点 栽培管理要点

杂木全年都有出售，但最适合3月份栽种。在这里我们介绍栽种的基本方法，以及充分保持杂木优点的管理和修剪方法。

保持天然之美 与庭院更和谐

用麻布包裹土团的树木在一年中的任何时间都可以移植。但在落叶期间不用顾忌伤害树冠，移栽工作更加轻松。常绿树木虽然在庭园整体休眠时移植更合适，但其中也有畏寒品种，应避开严寒的冬季为好。考虑到这些综合因素，一年中最适合移栽的时节是早春3月。

移植树木时，首先挖掘一个比根团大2～3圈的坑，放入苗木，然后填回土壤，充分浇水，就完成了。杂木的萌芽力大多很强，很快就会开始生长。

杂木的优点是它自然的树形，如果修剪过分大刀阔斧，会损害这种天然之美，应该配合生长，经常进行小幅度修剪为宜。

Point 1

适当修剪 保持秀美株形

杂木的修剪不像月季那样一次性完成，而是分成数次进行。想要一次性修剪到位，往往会把不需要剪的部位也剪掉，让树木失去生机勃勃的姿态。

* 标志树：种植在庭院中最显眼处的树木，往往选用开花美丽或是树型有特色的品种木。漂亮的标志树可以把主人家和邻家区分开来，成为这户人家特有的标志。

过分生长的树枝剪掉后，变得干净了，利于树枝的更新。

修剪的合适时期是从落叶后开始到1月底。不要光剪枝梢，要从分枝处修剪。

老枝干从根部剪除。

Point 2

较低位置生长的叶芽 随时掰除

有些萌芽力很强的杂木，经常会在树干上长出蘖芽。为了让树干保持美观的姿态，这种芽应随时摘除。促进通风，避免杂乱。

除芽的高度以成年人的视线以下为宜，这样眺望庭院，让人觉得清爽整洁。

用剪刀修剪蘖芽会留下芽根，再次发芽。应该用手掰除。

花草和我的天敌

与昆虫的胜利之战

在进行冬季作业的同时，也需要进行驱除害虫的工作！

在寒冬宁静的花园里，不仅是植物，许多昆虫也开始冬眠。然而随着天气变暖，害虫们又将蠢蠢欲动，所以，从冬季到早春是对处于冬眠的害虫进行防治的好时机，通过这段时间的努力，可以大大抑制开春后植物的被害。

Check 1 检查清扫不到的地方！！

Point 1 扫除落叶

堆积的落叶虽然对宿根草有保温作用，但也是蛾、蛹等害虫们理想的越冬场所。将落叶和害虫们一起清除掉，再用清洁过的树皮来代替地面覆盖。

Point 2 将花盆的底部清理干净

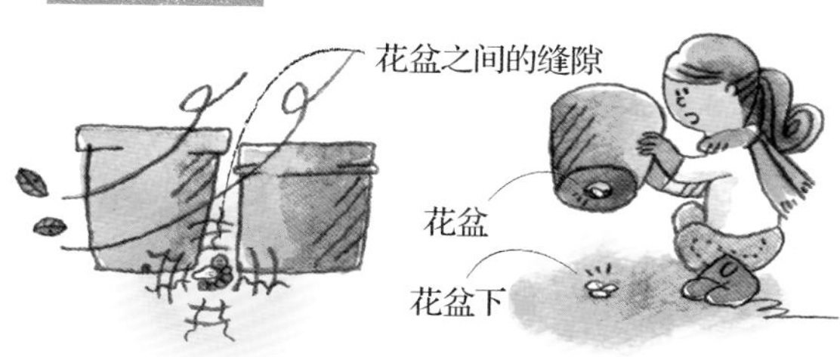

花盆的底部、花盆之间的缝隙和花盆孔是蛞蝓和潮虫（西瓜虫）潜伏的地方。这些害虫会在落叶分解之后重返泥土，啃食植物的新芽。在彻底清理之后必然会减少虫害发生。

使用这个，一举歼灭！！

目视就能发现从春天开始活动的鼻涕虫，可以使用药剂引诱除虫。

螺类专用诱杀剂

针对鼻涕虫和蜗牛的杀虫剂。在潮湿的场所能发挥较强效果。虫子食用后的残留物颗粒在土壤中微生物的作用下逐渐分解成磷酸和铁。

通过Check1可能发现的昆虫

害虫

受外界刺激后会团成球形。一般以腐烂的枯叶和昆虫尸骸为食，同时也啃食植物的柔嫩新芽和果实。

所有草花的花卉和草莓新芽等柔软果实发芽中的幼苗等。

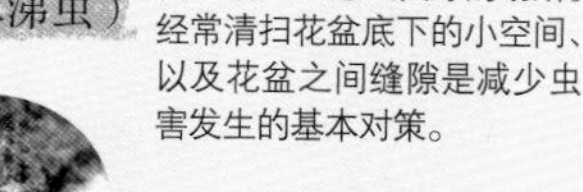

喜欢潮湿、通风良好的场所。经常清扫花盆底下的小空间、以及花盆之间缝隙是减少虫害发生的基本对策。

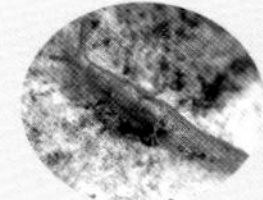

所有草花的花卉和草莓新芽等柔软果实发芽中的幼苗等。

益虫

头部呈扇状，体长0.1 ~ 1m以上，体宽不足1cm。是捕食蛞蝓的益虫。

蚰蜒

体长约3cm，有着细长的足。在落叶、石头、泥土中栖息。是捕食天蛾和蟑螂的肉食性夜行益虫。

无害的昆虫

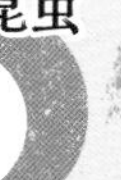

栖息在草丛和石头下面。以腐烂植物的有机物为食，是土壤的分解者。不用担心成为虫害和病菌的媒介。

体长约3cm。以落叶、朽木、菌类等腐烂植物为食。受到外界刺激后会放出恶臭气味。

Check 2 在深耕时检查

将泥土掘起后，拌入腐叶土和堆肥等有机物来改良土壤，是谓深耕。这是冬季唯一需要进行的作业。翻耕土壤时，正是发现土壤中冬眠害虫的好时机。在大约10cm的深度，能发现许多潜伏着的害虫，所以先掘到此处进行检查。发现害虫之后直接捕杀，一些小的虫卵可以放在寒风中任其冻死。

「通过Check2可能发现的害虫」

土壤中有各种各样的冬眠害虫。根据虫子的种类，其冬眠的形态（生长阶段）也会不同，一般很少能看到成虫。在掘起泥土时要仔细留心。

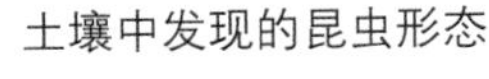

幼虫

蛹

成虫

地老虎

【幼虫】

斜纹夜蛾等蛾类幼虫。白天在土壤中隐藏，夜间则啃食叶片。特别喜欢啃食唇形科和十字花科植物

主要受害的植物

羽衣甘蓝
紫罗兰
鼠尾草

黄地老虎

【幼虫】

夜蛾科的幼虫总称。白天在叶片反面和植物根部隐藏，夜间则啃食花草和野菜等阔叶植物。与地老虎十分相似，靠近地面的植物根部受其伤害较多。

主要受害的植物

香豌豆等豆科植物
菊花
草坪
野菜等

金龟子幼虫

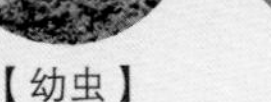
【幼虫】

【成虫】

由于幼虫只啃食宽叶植物的根，所以植物地面部分变化很少，发现虫害时往往为时已晚。如果植物突然停止生长，或在土壤不干燥的情况下有缺水症状，就需要格外注意。成虫会沿着叶脉大量啃食叶片和花朵。

主要受害的植物

【幼虫】
玫瑰
针叶树类
果树类
【成虫】
玫瑰
果树类（特别是葡萄）
绣球花

雀蛾蛹

【幼虫】

大型天蛾，其特征为尾部有突起物。食欲非常旺盛，能在顷刻间啃尽叶片。在其生长发育前，需要用心检查捕杀。

主要受害的植物

橄榄
光蜡树
栀子等

蚯蚓和潮虫

详见P104

使用这个！！

黄地老虎的预防

在植物周围铺上碎鸡蛋壳，这样幼虫难以隐藏，可以减少被害。

使用这个！！

金龟子的预防

由于金龟子讨厌玻璃质地结晶，因此在土壤中混杂珍珠岩就能减少虫害发生。配合使用药剂更佳。

多灭磷（乙酰甲胺磷）DX颗粒药剂
在植物底部轻轻撒上颗粒。两种浸透移行性杀虫成分能够被植物整体吸收，从而达到预防和驱除害虫的效果。

Check 3 在修剪枝条时检查

冬季是适合树木修剪的时期。在修剪时，需要同时检查过冬的害虫是否存活。落叶后的植物枝条十分干净，很容易发现害虫。在树枝中间寒风吹不到的地方是害虫们潜伏较多的地方，应仔细检查。

使用这个！！

灭之不尽的介壳虫需要细心驱除

在去除介壳虫后，涂抹可以放心使用的带有渗透性的机油或多灭磷（乙酰甲胺磷）水合剂等杀虫剂。作为预防，需要定期用水冲淋整株植物将介壳虫幼虫冲洗掉。

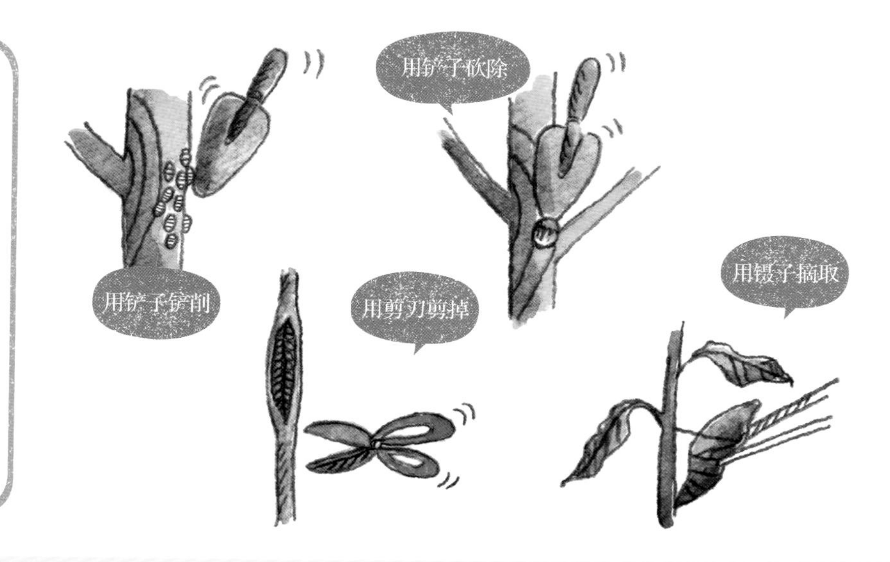

害虫 「通过Check3可能发现的害虫」

刺蛾蛹	介壳虫	蝶蛹	茎蜂卵

（幼虫）	（幼虫～成虫）	（幼虫）	（幼虫）
带有白色和茶色斑点的卵状茧栖息在树木的枝条上。幼虫被接触后会伸出刺针，给人体带来触电般的强烈刺激。啃食树木的叶片。	吸取枝条和树干的汁液。由于成虫体外被有蜡质介壳，所以很难用药物控制。其分泌物会诱发煤污病。	茶色的蛹黏附于枝条上。幼虫的身体上带有黑色的筋状条纹，碰触后会分泌难闻的气味恐吓对方。特别喜欢啃食带有香味的叶片。	成虫橘黄色，成排地排出蜂卵黏附于枝条，使枝条开裂。幼虫喜欢集体聚集在枝条顶部，大量啃食叶片。
主要受害的植物	主要受害的植物	主要受害的植物	主要受害的植物
柿子 枫树 蓝莓等	含羞草 梅花 玫瑰等	柑橘类 伞形科（*Umbellales*）的香草 山茱萸（*Cornus officinalis*）等	玫瑰

Check 4 在植物生长过程中检查

害虫们秋季在叶片中产下的虫卵会在早春孵化。这种幼虫会啃食三色堇或紫罗兰。2～3月时，可以发现叶片上有被啃食过的痕迹，需要仔细检查叶片的正反面，找出害虫并捕杀。

豹蛱蝶的成虫非常美丽

害虫 「通过Check4可能发现的害虫」

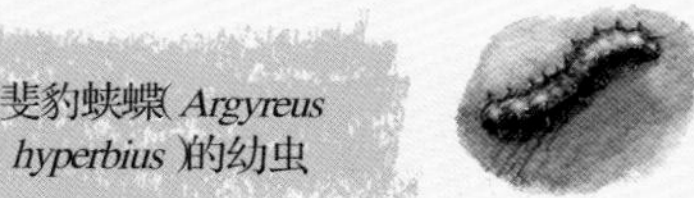

斐豹蛱蝶（*Argyreus hyperbius*）的幼虫

（幼虫）

黑色的虫体上带有橘红色的刺，小型蛾类，外形怪异，但无毒。喜欢啃食三色堇和紫罗兰的花和叶片。

主要受害的植物

三色堇　紫罗兰类

小黑老师的园艺课

Gardening Lesson

美好的园艺礼物

从冬季到早春，节日一个接一个。从1月的新年到2月的春节、情人节，3月份的白色情人节，开春后拜访花友花园时节，给朋友或家人小小馈赠的机会可谓一个接一个。作为园艺爱好者，何不把悉心照料的花园成果经过巧手DIY，做成一个独特的礼物送给他们呢？这里我想推荐的是纯手工制作的花园礼品盒。把亲手栽培的花苗和采集到的果实，利用铁皮、纸张或是木制的小盒子包装起来，就是一个别出心裁的礼品盒。

制作花园礼品盒的诀窍是认真考虑赠送对象的喜好，真正为对方着想。同样爱好园艺的花友，就可以赠与自家收集的种子；但如果对方是个大忙人，就不如送一盒不需要太多打点的多肉或是干花组合，可直接放在室内作装饰。最后，一定不要忘记附上一张表达心意的问候卡。这样，一只小小的礼盒，就满载着你的个性和心意！

用自己培育的植物组合成礼盒，可谓礼轻情意重。从秋季到春季都是果实丰硕的季节，在欣赏庭院植物的同时，也留心收集可以作为礼物的材料吧。

Succulent Plants Box
多肉植物七彩礼盒

胖嘟嘟的叶片
丰富多彩的色泽
多肉植物组合成七彩礼盒

将喜欢的多肉植物组合起来，就是一个七彩缤纷的什锦礼盒了。右图中选择了个头低矮的植物，以免从方托盘里掉出来，并且以红叶和紫叶植物为主，适当添加绿色和蓝色的叶色。多肉植物不需要太多照顾，适合赠送给工作繁忙的友人。

使用W17.5cmXD17.5cmXH5cm的铁皮方盒，在盒子里种上叶尖泛红的“祇园之舞”、“胧月”、“大和美尼”、“银明色”，以及叶色翠绿的“野蔷薇精”、“京童子”、“欧内斯提”，色彩丰富动人。

Early Spring
早春

Flowers Box
花卉礼盒

春季庭院
各种可爱的花朵汇聚一堂
花束般的组合栽植

主题："春季到访"。在艳粉色的报春花植株间种上常青藤，柔长的枝条飘拂，仿佛花束下的缎带。搭配从花园里采集的厚叶石斑木（*Rhaphiolepis indica var. umbellata*）的蓝色果实，使色彩更有层次。非常适合在祝贺生日或拜访花园时作为手信。

使用 W15.5cmXD15.5cmXH16cm 的铁皮方盒，栽入报春花"糖果"、蜡菊（*Helichrysum petiolare*）、常青藤、花叶薜荔，再插上石斑木果实，组成一盆丰满紧凑的组合栽植。栽培的方法有两种，可以事先用大小合适的塑料方盆将植物组合种好，生长成型后套入铁皮盒子；也可以用柔软的营养钵培育好花苗，赠送前再摆放到铁盒里。

Seeds Box
种子盒

植物的种子和果实
搭配好颜色放入木盒
和友人分享

美丽的种子和果实组成的什锦盒。把家居店里买到的储物盒涂上油漆，看起来别有风味。放入的物品有庭院的草花种子，也有散步时捡到的果实。

反复思考各种形状和颜色怎么才能搭配得好看，制作这件礼物的过程也充满乐趣。分享给同样爱好园艺的花友，可以在拜访花园时增加不少话题！

使用 W27cmXD35cmXH7cm 的木收纳盒。从左上开始，上排 / 山月桂、紫荆种荚、蔷薇果、薯蓣珠芽，中排 / 核桃、玫瑰果、野葡萄果、洛神花，下排 / 薯蓣果实、四照花、松果菊。既有庭院中的果实，也有遛狗时捡到的野果。

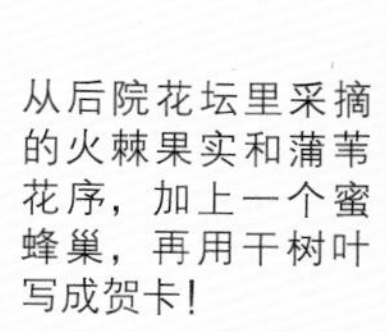

从后院花坛里采摘的火棘果实和蒲苇花序，加上一个蜜蜂巢，再用干树叶写成贺卡！

用水性笔在干树叶上写上问候语。前面两片是柠檬叶，后面的是山茱萸叶，最后一片是地锦叶。

不论室内还是室外都能摆设欣赏

商店出售的器具，变身复古风的原创作品

复古时尚拼贴 Lesson

除制作方法外，更有匠心独具的拓展应用篇。
搭配喜欢的植物，在庭院及室内都能营造温暖氛围。作为礼品，也能带给友人惊喜。

制作方法之基础篇

1 张邮票的拼贴手法

这一改造需要使用的物件

茶色的迷你酒瓶 W3.5cm×H12cm + 巧克力秋英（*Cosmos atrosanguineus*）

古典的酒瓶和色彩雅致的花朵十分搭配

酒瓶上只是贴上一张邮票的彩色复印件，稍微加工后，就变得时尚起来。从上往下像是带斑裂般刷上白色油漆，然后用粉末擦拭形成老旧的印象。插入一支素雅的巧克力秋英，做出风韵犹存的成熟造型。也可插入垂吊型的叶片，或用干花装饰也同样效果非凡。

基本的材料和道具

【基本的材料】制作拼贴的工具、装饰用的植物、想要拼贴的纸质素材（邮票的复印件、蜡纸、英文报纸及海报等喜欢的素材）。
【道具】木工用黏合剂、剪刀、笔刷、布料的碎片、白色的丙烯酸颜料、木工用蜡、粉末（爽身粉等）。

制作方法 ~基本篇~

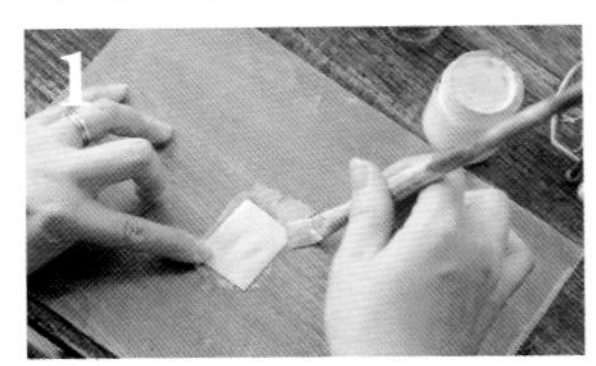

1 将想要拼贴的素材用剪刀剪下，在背面直接用笔刷上木工用黏合剂的原液。不用涂满。

2 把 1 贴在容器上，用手使劲摁捏，故意制造出皱褶。

3 把颜料用水稀释，用笔沾着原液轻轻刷涂。除了报纸上面，酒瓶的边缘及侧面也适当涂上，制造出油漆剥落般的老旧感。

4 用干布沾取少量的蜡，擦拭一般涂在报纸和酒瓶上，让其融合在一起。

5 用布沾取适量的粉末，使劲地擦酒瓶整体，制造出颜料恰到好处地褪色后带有擦白的效果。

制作方法 ~拓展应用篇~

选好希望用于粘贴的报纸，用手撕下一大块。

报纸背面涂上黏合剂，紧贴杯子的凹凸之处粘贴。

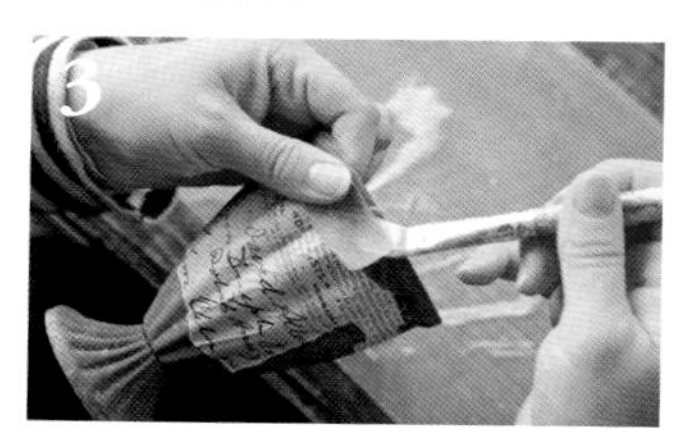

撕下其他报纸，重叠在先前贴好的报纸上，仔细贴好。重复这一步骤，用报纸覆盖住整个杯子。

将基本篇的制作方法 3 ~ 5 的步骤同样地操作一遍，制造出发白的老旧感。

金色颜料用水稀释，在拼贴好的报纸上涂抹若干处。

杯子边缘，以及没有拼贴的部分也用颜料零星涂抹，金色的涂饰给人褪色的感觉。

制作方法之拓展应用篇

把数张报纸重叠在一起进行拼贴

本篇所使用的物件

金属杯子 W9cm×H13cm ＋ 喜欢的多肉植物

P108 基本篇的材料
- 金色的丙烯酸颜料

与柔和的多肉植物十分般配的古旧风拼贴

简单的金属杯，贴上 30 张左右风格各异的报纸，做成情调十足的拼贴。最后抹上金色颜料，仿佛镀金褪色后的灰色材质裸露出来，金属特有的凝重质感令人浮想联翩。与变成红叶的多肉植物和干花组成色调沉稳的搭配。

一点建议
ONE POINT ADVICE

- 拼贴的报纸若是选用蜡纸般的薄型纸张，下面的花纹就能透出来，更加时尚美观。
- 把用手撕下的报纸和用剪刀剪下的报纸搭配在一起，切口的不同可以呈现出变化。
- 涂上蜡可以防水，可在户外使用。

制作方法 ~ 应用 + 改造篇 ~

1 把相框的木框取掉，在木板上依照应用篇的制作方法 1 ~ 4 进行拼贴改造。

2 用白色颜料在木框部分位置刷出局部露白效果。

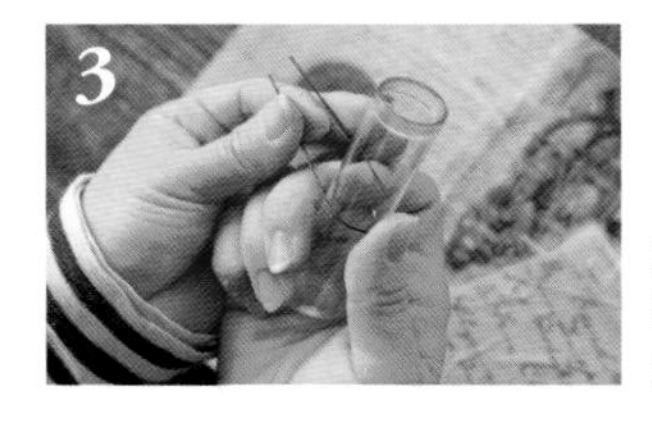

3 用钢丝沿着试管外围缠绕一圈，仿照成试管的圆形。

4 在拼贴好的木板上用锥子打出 2 个小洞，把 3 的钢丝穿过之后，插入试管。

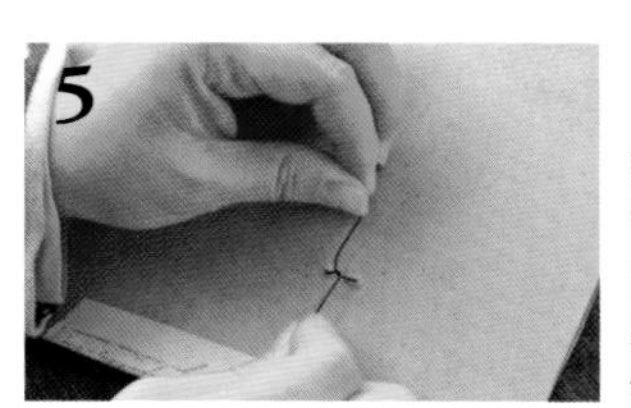

5 把钢丝往里插到能够严实地套住试管的位置，在木板的后面扭转几圈固定住。

添加多彩的干花
如同绘画一般的改造

使用能够充分展示旧物拼贴画魅力的面积宽大的木框，背景用大约 15 种各式图案互相重叠，再放上自然状态的干花，如同立体挂毯一般，成为墙壁的好装饰。可尝试在试管中放入种子、贴上贴纸，或者在下方搭配干苔藓等，制作出创意无限的独特装饰物！

一点建议
ONE POINT ADVICE

• 就算完成后试管也是可插可拔的，因此还可装水，用鲜花装饰。
• 除了木框之外，木盒子等也可以代替。

缤纷的吊篮，让花园出类拔萃

冬季庭院装饰手法

冬季的庭院难免给人萧条感，这时在不同位置挂上几款吊盆，就会给庭院增加生机和动感。下面就请专业园艺师来为我们指点冬日庭院里吊篮的搭配方法。

寒冬腊月
在空中飘舞的吊篮
让庭院流光溢彩

利用各类容器栽种各种植物制作吊篮，以及组合观赏价值高的吊篮的方法，此前已多有介绍，本文将不再赘述，而是侧重介绍怎么使用和悬挂吊篮，使其立体地去装饰空间。

冬季万物萧条，吊篮正好大显身手，我们来听听园艺师怎么说。

“低矮草花构成的花坛上空、叶片落尽的树木四周，这些空荡荡的地方最适合用吊篮装饰。充分考虑背景花坛的风格与色彩，画龙点睛式地加入一个显眼的吊篮，即可营造出和谐自然、富于立体感的景象。如能悬挂在适合人视线的高度效果更好。运用不同的悬挂方式，变换出古典、现代等不同风格，令人印象深刻。这种灵活多变的丰富性，正是通过吊篮装饰空间的魅力所在。”

Case 1
落叶树下

落叶之后的树木，非常适合悬挂吊篮。推荐使用树皮美丽的树木。悬挂太重的物件，会增加树木的负担，需要留意。

陈列杂货、别具风味的空间里
随意悬挂装饰
大小不同的观叶型植物

由旧物和雅致的日用品装饰而成的复古风庭院。以小木屋为背景的加拿大唐棣（*Amelanchier canadensis*）的枝条上，垂吊着尺寸不同的吊篮。乍看似是信手拈来，其实3个吊篮的位置都是经过计算，才排列成错落有致的三角形，十分适合怀旧风格。材质的选择也十分考究，独特的铁艺吊盆和链子与篮子里观叶型植物的组合，为黯淡清冷的冬季风景增添了自然的鲜润。

左 / 上方吊篮和树枝间的铁链上，悬挂着另一个吊篮。下方吊篮的高度可以自由调节。右 / 类似鸟笼的篮子中，摆放了常青藤、桉树（*Eucalyptus* spp.）等的组合盆栽。笼子本身就可当作做装饰品。

形形色色的叶片姿态
素朴的表情
融入怀旧风的庭院

装饰在视线高度的主角吊篮。随风作响的薹草属细长叶片搭配黄水枝属、常青藤，形成野趣满满的组合盆栽。篮子里铺上水苔，显得自然幽静。

【品种名称】
①薹草属“洁妮卡”
（*Carex brunnea* ‘Jenneke’）
②纽扣藤（*Muehlenbeckia complexa*）
③常青藤（花斑叶）
④黄水枝属“太平洋皇冠”
（*Tiarella* ‘Paclflc Crest’）
⑤新西兰麻（*Phormium cookianum.*）

column

同款不同色的两只吊篮
令人印象深刻

一盆采用绿叶植物，另一盆采用姿态相似的铜叶植物，两只吊篮色调和谐，相互衬托。

Case 2
入口处

引人注目的入口处，是四季都可以用华美景色迎接客人光临的场所。活用吊篮，把家园内外都打扮得漂漂亮亮。

门柱下的花坛，以及从大门通往园径两旁的花境，都种植着应季的羽衣甘蓝。通过大门上的吊盆把2个花坛巧妙地连接在了一起。

小花型的羽衣甘蓝 有着玫瑰花般的华丽感

使用了2个品种的羽衣甘蓝。均为一个花盆里可以种植5～6棵的品种，就算是初学者也能轻松完成。可爱的巧克力色三叶草成为花环的亮点所在。

【品种名称】
①羽衣甘蓝“宝贝舞蹈”（Baby dance）
②羽衣甘蓝“宝贝微笑”（Baby smile）
③三叶草“巧克力”（*Trifolium repens* ‘Tinto chocolat’）
④常青藤“白雪姬”

同样的吊篮 对称地点缀 制造出高雅不凡的品味

散发古典气息的入口。金属大门上左右对称地悬挂了花环形的吊篮。娇艳的色彩并不来自花朵，而是由小小的羽衣甘蓝彩叶组成。微妙精致的色调，展现出典雅的华丽。与种植在两侧花坛里的羽衣甘蓝相互呼应，和谐统一。

要想让吊篮呈现出规整隆重的效果，重点是经过计算和调整后，有规律地放置植物。

甘当配角的单株型壁挂盆和花盆。花朵的颜色统一为轻柔的粉红色和紫色，体现出小花淳朴可爱的特点。

墙面 Case 3

住宅的外墙及院墙、各类庭院的墙面，同样都是展示花卉的舞台。干净简洁的背景容易凸显草花之美，适合初学者。只要在悬挂支架上稍稍用心，就可以制作出独特的风景。

主角与配角
主次分明的吊篮
构成缤纷多彩的画面

用做旧成油漆脱落效果的手抹墙面当画布，使用大小不一的花盆进行装饰，给人印象深刻的是悬挂支架下吊着的主花篮。这是一盆色彩丰富的组合吊篮，在四周搭配担当配角的壁挂型盆和红陶花盆，各种小花丰富多变，错落有致。

配角花盆里的植物是三色堇和仙客来等小型草花的单株盆栽。花盆也用红陶进行统一，更加凸显主花篮的华丽。主花篮采用白色的铁艺篮子，混搭同属三色堇的各色品种，丰满而明丽。悬挂高度恰好在适合目光平视的高度，也是集中视线的秘诀之一。

三色堇和角堇
搭配可爱的草花
呼唤春天的吊篮

柔和色调中跳动的黄色和黑色，组成一只妩媚动人的吊篮。三色堇和白雪蔓的小花蓬松簇集，看起来就像从背景墙面浮出来一般，充满了轻柔的氛围。

【品种名称】
①三色堇“帕尔玛”（*Viola X wittrockiana*）
②角堇“水晶回忆”（*Viola tricolor*）
③三叶草属“黑三叶草”（*Trifolium repens*‘Tinto Nero’）
④黄色鹅河菊（*Brachycome iberidifolia*）
⑤白雪蔓（*Sutera cordata*）
⑥小蔓长春花（*Vinca minor*）

园艺师推荐

适合冬季和早春吊篮的植物目录

从冬春开花的植物中，精选出以下推荐品种，都是适宜不同设计，能够担当各种角色的草花。

柔美的花色和纤细的花瓣 极具魅力的主角草花

【金盏菊“咖啡奶油”】
菊科 一年生草本

花蕾期是青铜色，开花后会变成淡淡的黄色，双色花瓣是其特征。好养易活，适合插花。作为主角草花推荐。

填充在草花的缝隙之间 让栽植呈现出统一感

【马蹄金“银瀑”】
旋花科 多年生草本

心形的小叶片密集生长，姿态独特。像从花盆中洒落一般蔓延，为栽植添加了自然感。雅致的银灰色让景色看起来更明亮。

银色叶片下垂的姿态 勾勒出流动的线条

【屈曲花“雪球”】
十字花科 多年生草本

屈曲花属的大花种。和通常的屈曲花属相比，茎干较粗，十分强健，花形也好。茂密的植株可以增加组合盆栽的分量感。

轻柔的枝条形状 富于动态的表情

【火棘属“小丑”】
蔷薇科 常绿灌木

叶片带有美丽斑点的常绿树木。冬季的寒冷中会有轻微的红叶现象，微妙的色调十分美观。伸展扩散的枝条，富于奔放的动感。

雅致的黑色 是栽植的重点

【黑龙麦冬】
百合科 常绿多年生草本

清爽的线条及浓黑的叶色。十分强健，很好栽种，不会挑剔搭配的草花，因此利用价值很高。还可搭配同色系的雅致组合盆栽。

与柴犬阿旺的四季庭院

良枝老师是一位绘本画册作家，她的作品《柴犬阿旺系列故事》是通过柴犬阿旺和小猫阿妙的对话，传达日常生活中的和睦温情。随后良枝又出版了一本新作《柴犬阿旺的四季庭院》描绘了花园生活的乐趣。下面我们就来看看有着 21 年园艺经历的良枝老师的庭院吧！

一位内向的少女通过绘画坚持不懈地描绘内心生活，终于成为人气绘本作家。

在《柴犬阿旺的四季庭院》里，我们可以看到柴犬阿旺和小猫阿妙为了建造美丽花园而辛勤努力的故事。良枝老师用纤细的笔法，把庭院生活描绘得生动有趣。

手绘的表现力
通过可爱的小动物来实现

野蔷薇的红色果实、红色和黄色的枫叶、柔和的阳光，良枝老师的庭院静静沐浴在冬日的暖阳下。4 年前良枝新建了住宅，得到一个 120m² 的大院子。春天在有玫瑰和球根的主花园里，添上各种宿根草，又在庭院一角做了一个种植大吴风草的和风角落。

10 年前，良枝的作品《柴犬阿旺和风心灵》获得巨大成功，一举成为人气绘本作家，其实这一切都来得十分不易。小时候的良枝是个非常腼腆的姑娘，连跟人说话都觉得困难，只喜欢埋头作画。但随着绘本作品里的角色得到大众的好评，良枝也渐渐成为周围人际圈中的核心人物。也许是绘画把人和人联系起来，从此，良枝也更加确信绘画有着改变人生的力量。

高中毕业后，抱着可以一个人在家静静工作的愿望，良枝进入美术大学。经过一段短暂的公司工作，24 岁时，她辞职成为自由画家。此后 10 年间她绘制了各种贺卡和信纸等，慢慢经历了自己的作品得到认可的过程。在泡沫经济破灭后，工作量大大减少，随后的婚姻生活让良枝暂时减少了创作数量，但在得到杂志的连载签约后，良枝重新回到了心爱的绘画世界里。

庭院里散放着季节性花卉组合和手工制作的花环，可以从中一瞥良枝充实的花园生活。

一楼的客厅和木制甲板相连接，随时随地都可以走到庭院里。在木甲板上，摆放了许多良枝大爱的玫瑰花盆。

绘制《柴犬阿旺和风心灵》时，良枝为了理解和风生活的奥秘，开始学习茶道。透过茶室的门帘，可以看到枫树、十大功劳、柚子树、野木瓜、大吴风草等植物，幽雅沉静的植栽烘托出一个和风世界。

看到英式花园后备受感染
立刻开始了园艺生活

《柴犬阿旺和风心灵》是通过柴犬阿旺和小猫阿妙的学习，来介绍和风生活方式。以这两只可爱的小动物为向导，引领我们体会着四季的变迁，进入一个渐渐被现代生活遗忘的丰美而幽静的和风世界。

去年 9 月开始，在《柴犬阿旺的四季庭院》里，阿旺和阿妙开始挑战栽培和造园。良枝说："我希望即使完全对园艺一无所知的人，也能和小狗小猫一起体会到书本里的庭院乐趣。"在这本书里，良枝老师倾注了她 21 年的园艺经验，把各个季节的庭院工作和植物们生机勃勃的表情都描绘得栩栩如生。

玫瑰之美永远让人惊叹不已，第一次看到古典玫瑰时的感动至今难以忘怀。庭院里还可以种植各种蔬菜，收获时节更是乐趣无限。

紫藤架上爬上了玫瑰枝条

绿意丰沛的花径前方设置了紫藤架，紫藤花开过后，缠绕在木柱上的玫瑰正好接上开花的步伐。

用缀满野蔷薇红色果实的藤条编成可爱的花环。这样，在花园以外也可以欣赏大爱的蔷薇果。

这些是打点玫瑰时不可或缺的工具。女性的手比较娇小，要想找到一双称心的手套可不容易！

良枝 27 岁那年到英国进行一个月的住家访问。在那里，她每天亲眼观察英式花园，种植植栽和设计之美让她无时无刻不深受感动。

有了兴趣，不做点什么就会心里难受。良枝在当时光照条件很差的公寓里，开始用花盆培育三色堇之类简易的花卉。

每天打开各种园艺书，对未来花园的憧憬就会涌上心头。其中她最喜爱关于古典玫瑰的书籍。当时看到图片的第一感觉是“世界上竟然会有这样美丽的东西！”从此后就毫无保留地成为了古典玫瑰的粉丝。

婚后良枝搬入一间带有庭院的公寓，立刻开始建造自己的玫瑰花园。在 40m² 的花园里，有地栽、有盆栽，一共种下包括古典玫瑰在内的 40 种不同的玫瑰。

「被古典玫瑰的美
深深打动
开始醉心于玫瑰的栽植」

开始园艺之初，良枝在一本古旧的园艺书中发现了一张穿着罩衫裙打理“新曙光”的老奶奶的照片，她把这幅温馨的图像也绘进了自己的作品。

《柴犬阿旺的四季庭院》里的阴地花园。

在《柴犬阿旺和风心灵》里出场的那只小猫阿妙已经去了另一个世界。现在陪伴良枝的两只猫咪是小农（左）和小花（右）。

初冬开始修剪牵引玫瑰。庭院工作再多都不会厌烦，在劳作中不知不觉就暮色深沉。

每天可以看到不同表情的庭院，它们是绘本里美丽图画的灵感来源。

把庭院里大爱的风景浓缩在一本画册里

因玫瑰的原因也有不少有趣的邂逅。最初打点庭院时，当时唯一经营古典玫瑰的是横滨市村田玫瑰园。良枝经常拜访现在已经去世的村田先生，从那里学到许多照顾和牵引的好方法。“不仅看花，要看到植物整体，才能营造富有亲和力的风景。”村田先生当时的提醒，良枝今天打理庭院时还时时想起。

其实，《柴犬阿旺的四季庭院》里表现的庭院生活，大都以良枝家现在的庭院作为范本。因为每日的园艺劳作都是真切的体会，画面上的景观也格外富有现场感。例如玉簪生长的阴地花园，三色堇和角堇争奇斗艳的春日花坛，都是来自她自家的庭院。因为环境不同，植物的生长状况与色彩都有微妙的差别，只有亲身体验，良枝才能通过画作让这一切真实地再现。良枝一般在木甲板上画写生，枝条和花萼上细微的动态，还要用照相机拍下来，作画时对照查看，可谓在每一个细节上都倾注了无数心血。

另外，今后的花园计划也被她画在画册里，例如在庭院里建设一个 $4m^2$ 的厨房花园。因为去年夏

《柴犬阿旺的四季庭院》里的阴地花园。

在《柴犬阿旺的四季庭院》里描绘的良枝家的花坛，生动地再现了丰富的色彩和盈润的绿叶。

《柴犬阿旺的四季庭院》里的阴地花园。

「庭院里的园艺生活带来友谊、安全感和各种各样的感悟。」

天小番茄的生长过分旺盛，收获都来不及，良枝打算今后增加蔬菜和香草品种，建造一个有美丽色彩的、优雅的厨房花园。在画册里，她已经画上了孔雀草、红甜菜等颜色艳丽的植物组合，就像花园设计的效果图一般。

良枝最喜欢的庭院季节是早春的万物萌生之际。看着冬季沉睡在土壤里的葡萄风信子、铃兰等植物羞答答地露出可爱的面容，这个瞬间让人心境格外柔软。

“一旦进到庭院里做起园艺活儿，就会忘记时间的流逝，一直做下去。在心情不好和感觉烦躁的时候，庭院可以给予我依赖和抚慰。”良枝说。“庭院让人感受到的不仅仅是造园的乐趣，更多的是来自大自然的无穷无尽的力量和安全感。”

盆栽草花&阳台花卉

●早春是花卉孕育美丽花季的重要季节，在2月份之前，翻盆换土和追加肥料的工作非常重要。杜鹃、微型月季、绣球等盆栽的木本花卉应该在这个季节追加腐熟的有机肥料，也可以在花盆边缘放置上有长期效果的缓释肥。如果植株已经够大，长满整个花盆，则需要翻换盆土，把植物的根系疏松后种入大一圈的花盆里。

●早春的花卉市场里可以买到很多温室栽培的植物。但是购买回家后要注意让它们慢慢适应户外的环境，否则会出现叶片枯焦的情况。如果有寒潮来临，不妨给盆花头上扣上一个塑料袋，免得发生损伤。

●早春的球根非常美丽，这个季节欣赏完球根后，如果希望来年再看到它们的身影，就要及时剪掉残花，但是保留叶片，给予含钾的肥料，植物就可以从容地孕育新的球根了。

●早春的病虫害较少，是种植叶菜和香草的好时机。在1月份室内播种的香菜、茼蒿、芝麻菜已经可以食用。

三色堇、角堇

三色堇和角堇开花的好季节，每周喷洒开花期用的液体肥料，及时剪掉残花。

金鱼草

刚刚购买的金鱼草在回家后生长会放缓，注意保持光照和适度的水分。春季回暖后会很快开花。

紫罗兰

紫罗兰是花期很长的早春花卉，这个季节是它的盛花期，尽情欣赏美丽的花朵。

报春花

报春花有非常多的品种上市，除了色彩，还可以根据喜好的芳香来选择。报春花非常耐寒，最好不要放在室内。

鼠尾草

去年秋天播种的温带鼠尾草正在生长中，及时采摘叶片食用。宿根热带品种则可以分株和移植。

倒挂金钟

秋季购买的倒挂金钟这时进入休眠，给予液体肥料，让它们准备春天再次开花。

南非菊

置于封闭阳台或室内会迎来盛花期，应及时补充速效性液肥。如果拿到户外，生长会放缓。

石竹、康乃馨

新芽初发的石竹非常娇嫩，注意换盆分株时不要伤害到它。

风铃草（多年生）

风铃草在休眠中，可以分株。

风铃草“五月铃”（二年生）

植株长到白菜大小时，及时移栽到花园或换入最终的大盆。

传统菊花

菊花秋季开完花后，冬天会从植株下部冒出许多萌蘖，可以用小刀仔细分开来分株繁殖。

仙客来

夏季是仙客来开花的季节，及时摘除残花以保证持续开花。

天竺葵

冬天放在室内温暖的窗旁，天竺葵可以一直开花。这时可以剪下枝条扦插繁殖，更新植株。

玛格丽特菊

在花市有很多丰满的盆花出售，可以选择喜欢的颜色回家。

大丽花

大丽花怕冷，需要挖出球根收入室内的小花盆或泥炭土里储存。

玉簪

休眠中，可以使用小刀按每株 4~5 芽的大小切开，重新种植。

耧斗菜

去年春末播种的耧斗菜小苗可以移入花园或最终的花盆。

微型月季

微型月季如果放在室内可以开花，补充液体肥料，并注意通风，免得发生病虫。

树木&庭院花卉

●早春是很多树木开花的时节，这个季节的干旱会损伤已经饱满的花芽，注意及时给树木补充水分。这段时间修剪会损伤花芽，导致不开花，所以早春开花的花木修剪一定要谨慎。

●早春是另一个购买新苗的好时间，尽早做好规划设计，选择评价优良的店铺购买树苗花苗。邮购苗木到达后要及时栽种，如果天气特别寒冷，可以用草绳包裹或是覆盖根部来保护新种下的植物。

●早春也是翻整庭院的好时机，可以在3月之前翻开所有的土壤，检查土壤中的害虫虫卵，并让土壤晾晒一两天来杀菌除害。

● 1~2月在树木或宿根植物四周挖掘小坑，埋入鱼肠或豆饼等有机肥料，可以保持较长时间不用施肥，是非常经济的施肥方式。也可以用瓦罐沤肥，如果觉得气味难闻，可以在肥料罐里加入橙子、柚子等柑橘类的果皮。

杜鹃

落叶的杜鹃花芽已经形成，这个时间移栽要剪掉部分花芽，才有较高成活率。

茶花、茶梅

盛花期，不能移栽，在开花结束后修剪整理树形。

绣球

绣球在3月之前都是移栽的好时机，选择合适的地点栽种，并及时补充水分。

铁线莲（大花系）

大花系铁线莲翻盆和补充肥料的时节，按照本期专题文章的方法修剪。

月季

月季翻盆和追肥的时间，如果冬季没有修剪，也可以在这时修剪。

圣诞玫瑰

圣诞玫瑰孕育花蕾，并在2月开始开花。花期给予液体肥料，并补充足够的水分。前年的旧叶片容易变黑，剪掉全部旧叶，只留下去年秋季萌发的新叶。

梅、桃、梨树

花期前夕和盛花期，施肥用液体肥料。早花品种开完花后摘除残花，避免结果。

枫树

落叶期，可以在 1 月份修剪整形和移栽。

栀子

畏惧干旱寒冷，干冷环境下应该给予适当的保护措施。

针叶树

早春是修剪和移栽的时机，不要施肥。

樱花

尽早修剪和整理枝条，施与液体肥料。

紫薇

早春是修剪和移栽的好时机，不用在意花芽，自由剪成喜好的树形。

紫藤

修剪移栽应该在 3 月以前进行，藤条上会萌生花芽，不要剪掉。

玉兰

可以在 3 月之前轻剪，花芽已经形成，不要剪掉有花芽的枝条。

铁线莲（早春系）

早春系的铁线莲秋季不能再修剪，否则会不开花。

丁香

喜好碱性土壤，可以适当在土里混入一些农用石灰。

迎春花

花期，花后可以修剪整形。

瑞香

年宵花市金边瑞香大量上市，是移栽和买苗的好时机。

欢迎加入 QQ 群
“绿手指园艺俱乐部 235453414”

花园大招募！

介绍自家引以为傲的花园

玫瑰花园

人见人爱的玫瑰花园，秀一秀我大爱的玫瑰吧！

都市花园

谁说城市里不能有美丽的花园？有限空间里的小花园，阳台、花盆组合，包括室内花园也可以哦！

想要在花园 MOOK 上登刊你家的花园吗？不管是空间构思巧妙的，还是充满个性的、种满各种植物的花园都可以参加招募。只要是和花园有关的话题或小插曲，自荐或推荐他人的花园都可以。收到文章之后，编辑部会与您联系！

厨房花园

种满了草本植物、蔬菜和果树的花园。看到的不仅仅是美丽的植栽，这是有着观赏用途的花园。请告诉大家蔬果收获后的活用方法吧！

手工打造的 DIY 花园

园丁中永远不乏心灵手巧的技术派，从花架到凉亭，还有什么不能实现？

自然派花园

各种草花、野花、树木，有幸亲近自然的大地主们来显摆吧！

投稿方法

请注明姓名、地址和电话号码，将花园整体的截图照片邮寄。以写邮件的方式也可（发送的时候请对照相片进行简单的说明并注明名字）。届时编辑部会妥善保管，在结合主题和随时取材时与您联系。

邮件投稿：perfectgarden@sina.cn
green_finger@163.com
QQ 投稿：939386484 药草

※ 请注意发送的照片和资料将不退还。想要加入绿手指俱乐部，请参见 P128。

和绿手指一起打造新的生活！

绿手指园艺丛书

最受欢迎的园艺图书

生态花园实用手册

霍普斯　著
定价：68 元

多肉植物新“组”张

JOJO　著
定价：39.8 元

壁面园艺

FG 武藏　著
定价：35 元

多肉植物玩赏手册

FG 武藏　著
定价：35 元

香草花园

威廉・登恩　著
定价：42 元

轻松打理花园

珍妮・亨迪　著
定价：45 元

草坪与地被植物

阿克偌伊德　著
定价：42 元

庭院盆栽

罗森菲尔德　著
定价：45 元

花园休闲区设计

曼纽尔・桑尔　著
定价：68 元

盆栽蔬果

惠廷厄姆　著
定价：42 元

铁线莲与藤蔓植物

大卫・加德纳　著
定价：45 元

阳台花园

FG 武藏　著
定价：32 元

厨余变沃土

绿精灵工作室　著
定价：32 元

玫瑰花园

FG 武藏　著
定价：35 元

美味花园

FG 武藏　著
定价：42 元

庭院花木修剪

妻鹿加年雄　著
定价：45 元

种菜手帖

石仓博之、真木文绘　著
定价：45 元

种子盆栽

林惠兰　著
定价：40 元

打造别样的室内花园

李成贤、金素姬　著
定价：40 元

梦想庭院——组合盆栽 DIY

约翰・卡特　著
定价：35 元

露台花园

阿美勒・罗伯特　著
定价：29.8 元

生态花园

阿涅斯・纪尧曼　著
定价：29.8 元

日式庭院

布达芬　著
定价：29.8 元

垂直花园

阿涅斯・纪尧曼　著
定价：29.8 元

- 最全面的园艺生活指导，花园生活的百变创意，打造属于你的个性花园
- 开启与自然的对话，在园艺里寻找自己的宁静天地
- 滋润心灵的森系阅读，营造清新雅致的自然生活

《Garden&Garden》杂志国内唯一授权版

《Garden & Garden》杂志来自于日本东京的园艺杂志，其充满时尚感的图片和实用经典案例，受到园艺师、花友以及热爱生活和自然的人们喜爱。《花园MOOK》在此基础上加入适合国内花友的最新园艺内容，是一套不可多得的园艺指导图书。

Vol.01

花园MOOK·金暖秋冬号

Vol.02

花园MOOK·粉彩早春号

Vol.03

花园MOOK·静好春光号

Vol.04

花园MOOK·绿意凉风号

精确联接园艺读者

精准定位中国园艺爱好者群体：中高端爱好者与普通爱好者；为园艺爱好者介绍最新园艺资讯、园艺技术、专业知识。

倡导园艺生活方式

将园艺作为“生活方式”进行倡导，并与生活紧密结合，培养更多读者对园艺的兴趣，使其成为园艺爱好者。

创新园艺传播方式

将园艺图书 / 杂志时尚化、生活化、人文化；开拓更多时尚园艺载体：花园 MOOK、花园记事本、花草台历等。

Vol.05

花园MOOK·私房杂货号

Vol.06

花园MOOK·铁线莲号

Vol.07

花园MOOK·玫瑰月季号

订购方法

- 《花园 MOOK》丛书订购电话　TEL / 027-87679468
- 淘宝店铺地址

http://hbkxjscbs.tmall.com/

加入绿手指俱乐部的方法

欢迎加入绿手指园艺俱乐部，我们将会推出更多优秀园艺图书，让您的生活充满绿意！

入会方式：

1. 请详细填写你的地址、电话、姓名等基本资料以及对绿手指图书的建议，寄至出版社（湖北省武汉市雄楚大街 268 号出版文化城 B 座 13 楼 湖北科学技术出版社 绿手指园艺俱乐部收）
2. 加入绿手指园艺俱乐部 QQ 群：235453414，参与俱乐部互动。

会员福利：

1. 你的任何问题都将获得最详尽的解答，且不收取任何费用。
2. 可优先得知绿手指园艺丛书的上市日期及相关活动讯息，购买绿手指园艺丛书会有意想不到的优惠。
3. 可优先得到参与绿手指俱乐部举办相关活动的机会。
4. 各种礼品等你来领取。